BUSCANDO A AUDREY

Sophie Kinsella

Buscando a Audrey

PUCK

Argentina – Chile – Colombia – España
Estados Unidos – México – Perú – Uruguay – Venezuela

Título original: *Finding Audrey*
Editor original: Doubleday, an imprint of Random House Children's Publishers
UK, a Penguin Random House Company
Traducción: Victoria Horrillo

1ª edición Marzo 2016

Copyright ©2015 by Sophie Kinsella
All Rights Reserved
© de la traducción 2016 *by* Victoria Horrillo
© 2016 *by* Ediciones Urano, S.A.U.
    Aribau, 142, pral. – 08036 Barcelona
    www.mundopuck.com

ISBN: 978-84-96886-51-3
E-ISBN: 978-84-9944-933-3
Depósito legal: B-1.620-2016

Fotocomposición: Ediciones Urano, S.A.U.
Impreso por: Rodesa, S.A. – Polígono Industrial San Miguel
Parcelas E7-E8 – 31132 Villatuerta (Navarra)

Impreso en España – *Printed in Spain*

A todos mis hijos, que, cada cual a su modo,
han contribuido a inspirar este libro.

Ay, Dios, mamá se ha vuelto loca.

No loca normal, como se vuelve ella. Loca, loca.

Mamá, loca normal: dice «¡Vamos a hacer una dieta sin gluten genial que he visto en el *Daily Mail*!» y va y compra tres hogazas de pan sin gluten. Es tan repulsivo que ponemos cara de asco. Toda la familia se pone en huelga y mamá esconde su sándwich en la jardinera y a la semana siguiente se acabó la dieta sin gluten.

Así es mamá de loca normal. Pero esta vez se ha vuelto loca de verdad.

Está delante de la ventana de su dormitorio, que da a Rosewood Close, la calle donde vivimos. No, «delante» suena demasiado normal. Y mamá no tiene una pinta normal. Está inclinada sobre el alféizar, con mirada de loca, sujetando el ordenador de mi hermano Frank, que se sostiene a duras penas sobre el poyete de la ventana. En cualquier momento se estrellará contra el suelo. Y es un ordenador que cuesta setecientas libras.

¿Se da cuenta mi madre de esto? Siempre anda diciendo que *nosotros* no entendemos el valor del dinero. Se pasa la vida diciéndonos cosas como: «¿Tenéis idea del esfuerzo que cuesta ganar diez libras?» o «No derrocharíais tanta electricidad si tuvierais que pagarla vosotros».

Bueno, ¿y qué hay de ganar setecientas libras y luego estrellarlas a propósito contra el suelo?

Ahí abajo, en el jardín delantero, Frank se pasea de un lado a otro con su camiseta de *The Big Bang Theory*, echándose las manos a la cabeza y farfullando de angustia.

—Mamá. —Tiene tanto miedo que le sale un gallito—. Mamá, ese es mi *ordenador*.

—¡Ya sé que es tu ordenador! —grita mamá, histérica—. ¿Te crees que no lo sé?

—Mamá, por favor, ¿podemos hablar?

—¡Ya he intentado hablar! —replica ella—. He intento persuadirte, discutir, suplicar, argumentar, chantajearte... ¡Lo he intentado todo! ¡TODO, Frank!

—Pero ¡yo necesito mi ordenador!

—¡Tú no necesitas tu ordenador! —vocifera mamá con tanta furia que doy un brinco.

—¡Mami va a *tirar el ordenador*! —exclama Félix, que ha salido corriendo al jardín y mira hacia arriba con pasmada alegría.

Félix es nuestro hermano pequeño. Tiene cuatro años y afronta casi todos los acontecimientos de la vida con pasmada alegría. ¡Un camión en la calle! ¡Kétchup! ¡Una patata extralarga! El hecho de que mamá vaya a tirar un ordenador por la ventana es uno más de su larga lista de milagros cotidianos.

—Sí, y el ordenador se va a romper —responde Frank con fiereza—. Y tú no podrás volver a jugar a Star Wars nunca más en la vida.

Félix empieza a hacer pucheros angustiado y mamá da un respingo con renovada ira.

—¡Frank! —chilla—. ¡No hagas llorar a tu hermano!

Nuestros vecinos de enfrente, los McDuggan, han salido a mirar. Ollie, su hijo de doce años, grita: «¡Noooo!» al ver lo que está a punto de hacer mamá.

—¡Señora Turner! —Cruza corriendo la calle hasta nuestro jardín y mira a mamá con expresión suplicante, al lado de Frank.

A veces juega a Land of Conquerors en línea con Frank, si Frank está de buenas y no tiene a nadie más con quien jugar. Ahora Ollie parece aún más asustado que Frank.

—Por favor, no rompa el ordenador, señora Turner —pide temblando—. Tiene grabados todos los comentarios de juego de Frank. Y son tan divertidos... —Se vuelve hacia Frank—. Son superdivertidos.

—Gracias —masculla mi hermano.

—Tu mamá es como... —Ollie parpadea con nerviosismo—. Es como una Diosa Guerrera Mejorada de Nivel Siete.

—¿Que soy qué? —pregunta mamá.

—Es un *cumplido*—le espeta Frank poniendo los ojos en blanco—. Lo sabrías si jugaras. Pero es Nivel Ocho —corrige a Ollie.

—Eso —se apresura a decir Ollie—. Ocho.

—¡Ni siquiera puedes comunicarte como una persona normal! —grita mamá—. ¡La vida no es una serie de niveles!

—Mamá, por favor —suplica Frank—. Haré lo que sea. Me ocuparé del lavaplatos. Llamaré a la abuela todas las noches. Iré... —Piensa a toda velocidad—. Iré a leer en voz alta a personas sordas.

¿Leer en voz alta a personas sordas? ¿De verdad se está oyendo a sí mismo?

—¿A personas sordas? —estalla mamá—. ¿A personas sordas? ¡No necesito que leas a personas sordas! ¡El único sordo que hay aquí eres tú! Nunca oyes nada de lo que te digo. Siempre tienes esos malditos auriculares puestos.

—¡Anne!

Me vuelvo y veo que papá se ha metido en la refriega y que un par de vecinos más han salido a sus puertas. Esto se ha convertido oficialmente en un Suceso Vecinal.

—¡Anne! —grita papá otra vez.

—Déjame, Chris —dice ella en tono de advertencia, y veo que mi padre traga saliva.

Papá es alto y guapo, como de anuncio, y *parece* que es él quien manda en casa, pero en el fondo no tiene nada de macho alfa.

Bueno, no, eso ha sonado fatal. Supongo que en muchos aspectos sí es un macho alfa. Solo que mamá es *aún más alfa*. Es fuerte y mandona, y guapa, y mandona.

Lo de mandona lo he dicho dos veces, ¿no?

Pues sacad vuestras propias conclusiones.

—Sé que estás enfadada, cariño —insiste papá en tono conciliador—. Pero ¿no te parece que estás exagerando un poco?

—¿Exagerando, yo? ¡Él sí que exagera! ¡Es un adicto, Chris!

—¡Yo no soy un adicto! —protesta Frank.

—Yo solo digo que...

—¿Qué? —Mamá vuelve por fin la cabeza para mirar a papá—. ¿Qué dices?

—Que, si lo tiras ahí, vas a abollar el coche. —Papá hace una mueca—. ¿Podrías moverte un pelín a la izquierda?

—¡Me importa un bledo el coche! ¡Si hago esto es porque le quiero, para que aprenda!

Inclina aún más el ordenador sobre el alféizar de la ventana y todos contenemos la respiración, incluidos los vecinos.

—¿Porque me quieres? —le grita Frank—. ¡Si me quisieras no me romperías el ordenador!

—¡Pues si tú me quisieras a mí, Frank, no te levantarías a las dos de la mañana a mis espaldas para jugar en línea con un coreano!

—¿Te has levantado a las dos de la mañana? —le pregunta Ollie a Frank con los ojos como platos.

—Estaba entrenando. —Mi hermano se encoge de hombros—. ¡Estaba *entrenando*! —repite con énfasis dirigiéndose a mamá—. ¡Dentro de poco tengo un torneo! ¡Siempre has dicho que debía tener una meta en la vida! ¡Pues ya la tengo!

—¡Jugar a Land of Conquerors no es una meta! Ay, Dios, ay, Dios... —Empieza a darse cabezazos contra el ordenador—. ¿Qué es lo que he hecho mal?

—Ah, Audrey —dice Ollie de repente, al verme—. Hola, ¿qué tal?

Yo me aparto de la ventana de mi cuarto, asustada. Mi ventana está en la esquina, casi escondida, y se suponía que nadie tenía que verme. Y menos aún Ollie, que estoy segura de que está un poco colado por mí aunque es dos años más pequeño y casi no me llega al pecho.

—¡Mira, si es la *celebrity*! —exclama Rob, su padre.

Lleva un mes llamándome «la *celebrity*», aunque mi madre y mi padre le han pedido, cada uno por separado, que deje de hacerlo. A él le parece muy divertido, y cree que mis padres no tienen sentido del humor. (He notado a menudo que la gente cree que «tener sentido del humor» equivale a «ser un cretino insensible».)

Pero me parece que esta vez mis padres ni siquiera han oído la desternillante bromita de Rob. Mamá sigue gimoteando: «¿Qué he hecho maaaaal?» y papá la mira con nerviosismo.

—¡No has hecho nada mal! —grita—. ¡Nada de nada! Tesoro, baja a tomar una copa. Deja el ordenador... por ahora —se apresura a añadir al ver su cara—. Luego puedes tirarlo por la ventana.

Mamá no se mueve ni un centímetro. El ordenador se balancea aún más sobre el poyete de la ventana y papá da un respingo.

—Cariño, solo estoy pensando en el coche... Acabamos de terminar de pagarlo... —Se acerca al vehículo y estira los brazos como si así fuera a impedir que le caiga encima un pedazo de hardware.

—¡Traed una manta! —chilla Ollie, reaccionando de repente—. ¡Hay que salvar el ordenador! Necesitamos una manta. Haremos un círculo...

Mamá ni siquiera parece oírle.

—¡Te di el pecho! —le chilla a Frank—. ¡Te leí los cuentos de Winnie-the-Pooh! Lo único que quería era tener un hijo equilibrado que se interesara por los libros, el arte, la naturaleza y los museos y quizá también un poco por los deportes de competición...

—¡Land of Conquerors es un deporte de competición! —grita Frank—. ¡Tú no sabes nada del juego! ¡Es una cosa muy seria! ¿Sabes que este año el primer premio de la competición internacional de Toronto es de seis millones de dólares?

—¡No paras de decírnoslo! —vocifera mamá—. Y vas a ganarlos tú, ¿no? ¿Vas a hacer una fortuna?

—Pues a lo mejor sí. —La mira con enfado—. Si *entreno* lo suficiente.

—¡Frank, despierta de una vez! —Su voz aguda y casi terrorífica retumba en la calle—. ¡Tú *no* vas a participar en la competición internacional de ese juego, *no* vas a ganar los dichosos seis millones de dólares del primer premio y *no* vas a ganarte la vida jugando a videojuegos. ¡ESO NO VA A PASAR!

Un mes antes

Todo empieza con el *Daily Mail*. En nuestra casa, un montón de cosas empiezan con el *Daily Mail*.

Mamá comienza a removerse como hace ella. Hemos cenado y recogido la mesa, está leyendo el periódico con una copa de vino («mi momento», lo llama ella) y se ha parado al llegar a un artículo. Veo el titular por encima de su hombro:

**OCHO INDICIOS DE QUE SU HIJO
ES ADICTO A LOS JUEGOS DE ORDENADOR**

—Ay, Dios mío —la oigo murmurar—. Ay, *Dios* mío. —Desliza el dedo por la lista y cada vez respira más deprisa.

Al echar un vistazo, leo un encabezado:

7. Irritabilidad y mal humor

Ja. Ja, ja.

Es mi risa sarcástica, por si no lo habéis pillado.

¿En serio? ¿Mal humor? Bueno, James Dean también era un adolescente malhumorado en *Rebelde sin causa* (tengo el póster: el mejor póster de película de todos los tiempos, la mejor película de todos los tiempos, el actor más sexy de todos los tiempos... ¿Por qué, oh, por qué tuvo que morir?) ¿Significa eso, entonces, que James Dean también era adicto a los video-juegos? Ay, espera.

Exacto.

Pero no tiene sentido decirle todo eso a mi madre, porque es un argumento lógico y mi madre no cree en la lógica: cree en los horóscopos y en el té verde. Ah, y en el *Daily Mail*, por supuesto.

OCHO INDICIOS DE QUE MI MADRE ES ADICTA AL *DAILY MAIL*

1. Lo lee a diario.
2. Se cree todo lo que dice.
3. Si intentas quitárselo de las manos, tira de él y dice «¡Suelta!» como si intentaras robarle a su bebé.
4. Cuando trae un artículo alarmista sobre la vitamina D, nos obliga a todos a quitarnos la camiseta y a «tomar el sol». (A congelarnos, más bien.)
5. Cuando trae un artículo alarmista sobre el melanoma, nos obliga a ponernos protector solar.
6. Cuando trae un artículo sobre «La única crema facial que de verdad FUNCIONA», la pide en ese mismo momento. Saca el iPad ipso facto.
7. Si en vacaciones no lo consigue, presenta síntomas ine-quívocos de síndrome de abstinencia. Eso sí que es irrita-bilidad y mal humor.
8. Una vez intentó dejarlo, en Cuaresma. Aguantó media mañana.

El caso es que no puedo hacer nada por remediar la trágica adicción de mi madre, excepto confiar en que no le haga dema-siado daño. (A nuestro cuarto de estar ya se lo ha hecho, des-pués de que leyera un artículo sobre decoración titulado «¿Por qué no pintar a mano todos tus muebles?»)

En ese momento Frank entra en la cocina con su camiseta negra (esa que pone SOY UN *MODDER*, LUEGO EXISTO), sus auriculares puestos y su teléfono en la mano. Mamá baja el *Daily Mail* y se queda mirándolo como si de pronto se le hubiera caído la venda de los ojos.

(Nunca he entendido esa expresión. ¿Venda? ¿Qué venda? En fin, es igual.)

—Frank —dice—, ¿cuántas horas has pasado jugando en el ordenador esta semana?

—Define «jugar en el ordenador» —responde mi hermano sin apartar la mirada del teléfono.

—¿Qué? —Mamá me mira extrañada y yo me encojo de hombros—. Ya sabes, juegos de ordenador. ¿Cuántas horas? ¡FRANK! —grita al ver que no le hace caso—. ¿Cuántas horas? ¡Quítate esos chismes de las orejas!

—¿Qué? —Frank se quita los auriculares y la mira parpadeando como si no hubiera oído la pregunta—. ¿Es importante?

—¡Sí, es importante! —le suelta mamá—. Quiero que me digas cuántas horas pasas a la semana jugando en el ordenador. Ahora mismo. Haz la cuenta.

—No puedo —contesta él con calma.

—¿Que no puedes? ¿Cómo que *no puedes*?

—No sé a qué te refieres —replica Frank con ensayada paciencia—. ¿Te refieres a juegos de ordenador, literalmente? ¿O te refieres a todo tipo de juegos de pantalla, incluidos los de la Xbox y la PlayStation? ¿Y los teléfonos también? Acota la cuestión.

Frank es un cretino integral. ¿Es que no *ve* que mamá está a punto de estallar?

—¡Me refiero a cualquier cosa que te atrofie la inteligencia! —responde mamá blandiendo el *Daily Mail*—. ¿Te das cuenta del peligro que son esos juegos? ¿Te das cuenta de que tu cerebro no se está desarrollando como es debido? ¡Tu CEREBRO, Frank! Tu órgano más preciado.

Frank suelta una risita guarra disimuladamente, y yo no puedo evitar reírme. La verdad es que Frank es muy gracioso.

—Voy a hacer como que no te he visto —afirma mamá, muy seria—. Eso solo demuestra que lo que digo es cierto.

—No, qué va —responde Frank, y abre la nevera. Saca un brik de leche con cacao y lo vacía bebiendo a morro, lo que es un asco.

—¡No hagas eso! —le espeto, furiosa.

—Hay otro brik, relájate.

—Voy a poner límite a tus horas de juego, jovencito. —Mamá blande el *Daily Mail* enfáticamente—. Ya estoy harta de esta situación.

Jovencito. O sea, que va a meter a papá en esto. Cada vez que nos llama «jovencito» o «jovencita», al día siguiente hay una odiosa reunión familiar en la que papá intenta respaldar todo lo que dice mamá, aunque no se entere ni de la mitad.

En todo caso, no es problema mío.

◆ ◆ ◆

No es asunto mío, hasta que esa noche mamá entra en mi cuarto y pregunta:

—Audrey, ¿qué es Land of Conquerors?

Yo dejo de mirar mi revista y la observo un momento. Parece tensa. Tiene las mejillas sonrosadas y la mano derecha cerrada como si acabara de soltar el ratón del ordenador. Ha estado buscando en Google «adicción juegos de ordenador», estoy *segura*.

—Un juego.

—Ya sé que es un juego. —Parece exasperada—. Pero ¿por qué juega Frank a eso constantemente? *Tú* no te pasas el día jugando a eso, ¿no?

—No.

He jugado a LOC y la verdad es que no entiendo a qué viene tanta obsesión. Está bien, pero para una hora o dos.

—Entonces, ¿qué atractivo tiene?

—Pues, ya sabes. —Me quedo pensando unos segundos—. Es emocionante. Obtienes recompensas. Y los personajes son buenísimos. Los gráficos son alucinantes, y acaban de presentar un equipo nuevo de guerreros que tiene capacidades nuevas y... —Me encojo de hombros.

Mamá parece más perpleja que nunca. El problema es que no juega a los videojuegos, así que es imposible hacerle entender la diferencia entre LOC 3 y el comecocos de 1985, por ejemplo.

—En YouTube hay tutoriales —digo con una súbita inspiración—. La gente hace comentarios. Espera.

Mientras busco un vídeo en mi iPad, mamá se sienta y mira mi habitación. Intenta comportarse con naturalidad, pero noto que sus ojillos azules escudriñan mis montones de cosas buscando... ¿qué? Cualquier cosa. De todo. La verdad es que mamá y yo hace mucho tiempo que no nos comportamos con naturalidad. Todo lleva siempre alguna carga.

A pesar de todo lo que ha pasado, esa es una de las cosas más tristes. Que ya no podemos comportarnos con normalidad la una con la otra. Digo cualquier cosilla y mamá se pone histérica, aunque no se dé cuenta. Se le disparan todas las alarmas. ¿Qué ha querido decir? ¿Está bien? *¿Qué quiere decir de verdad?*

La veo mirar atentamente unos vaqueros viejos y rajados que hay encima de mi silla, como si guardaran algún arcano, cuando en realidad solo significan una cosa: que se me han quedado pequeños. He crecido casi ocho centímetros este último año, o sea que mido un metro setenta y dos. Bastante alta para tener catorce años. La gente dice que me parezco a mamá, pero no soy tan guapa como ella. Sus ojos son *tan* azules... Como diamantes azules. Los míos son muy sosos, aunque ahora no es que se vean mucho.

Para que podáis visualizarme, soy bastante flaca y más bien del montón, y llevo camiseta negra de tirantes y pantalones vaqueros ajustados. Y también gafas de sol oscuras, todo el tiempo, hasta cuando estoy en casa. Es... En fin, una cosa mía. Una manía, supongo. De ahí que el graciosillo de Rob, nuestro vecino, me llame «la *celebrity*». Me vio salir del coche con las gafas puestas un día de lluvia y empezó:

—¿Y esas gafas? ¿Es que eres Angelina Jolie?

No es que intente hacerme la guay. Es por un motivo.

Y ahora querréis saber cuál, claro.

Supongo.

Bueno, la verdad es que es bastante íntimo. No sé si estoy preparada para contároslo aún. Podéis pensar que soy muy rara si queréis. Mucha gente lo piensa.

—Ya está.

Encuentro un vídeo de una batalla de LOC comentada por «Archy», un *youtuber* sueco. A Frank le encantan sus vídeos. Básicamente, consisten en que «Archy» juega a LOC y va haciendo comentarios chistosos sobre el juego. Como era de esperar, tardo una eternidad en explicárselo a mamá para que lo entienda.

—Pero ¿qué interés tiene ver jugar a otro? —pregunta, anonadada—. ¿De qué sirve? ¿No es una completa pérdida de tiempo?

—Pues no sé. —Me encojo de hombros—. Así es el LOC.

Se hace un silencio. Mamá mira la pantalla como una profesora decrépita tratando de descifrar un decrépito jeroglífico egipcio. De repente hay una explosión y pega un brinco.

—¿Por qué estas cosas siempre tienen que ser tan violentas? Si yo diseñara un videojuego, giraría en torno a las ideas. Política. Cuestiones diversas. ¡Sí! ¿Por qué no? —Noto que su cerebro se dispara, animado por una nueva idea—. ¿Qué tal un juego de ordenador titulado A debate? ¡Conservaría el elemento competitivo y al mismo tiempo se ganarían puntos debatiendo!

—He *ahí* el motivo por el que no somos supermillonarios —respondo yo como si hablara con una tercera persona.

Estoy buscando otro vídeo cuando Félix entra corriendo en la habitación.

—¡Candy Crush! —exclama alborozado en cuanto ve mi iPad, y mamá suelta un gemido de horror.

—¿Cómo es que conoce ese juego? —pregunta—. Apágalo. ¡No pienso tener otro adicto en la familia!

Uy. Puede que fuera yo quien enseñó a Félix el Candy Crush. Aunque de todos modos no tiene ni idea de jugar.

Cierro el iPad y Félix se queda mirándolo, abatido.

—¡Candy Crush! —gimotea—. ¡Quiero jugar a Candy Cruuuuuush!

—Está estropeado, Félix. —Finjo que toco el iPad—. ¿Lo ves? Se ha roto.

—Sí, se ha roto —afirma mamá.

Félix nos mira y mira el iPad. Se nota que su cerebro está funcionando a la máxima velocidad que permiten las neuronas de un niño de cuatro años.

—Tenemos que comprar un enchufe —sugiere, animado de pronto, y agarra el iPad—. Podemos comprar un enchufe y arreglarlo.

—La tienda de enchufes está cerrada —comenta mamá sin perder un instante—. Qué lástima. Mañana lo compramos. Pero ¿sabes qué? ¡Ahora vamos a comer una tostada con Nutella!

—¡Tostada con Nutella!

La cara de Félix empieza a irradiar rayos de felicidad. Cuando levanta los brazos, mamá le quita el iPad y me lo da. Cinco segundos después lo he escondido debajo de un cojín de la cama.

—¿Dónde está el Candy Crush?

Félix advierte de repente su desaparición y arruga la carita, dispuesto a lanzar un alarido.

—Vamos a llevarlo a la tienda de enchufes, ¿recuerdas? —responde mamá de inmediato.

—Eso, a la tienda de enchufes —añado yo—. Pero, oye, ¡vas a tomar tostadas con Nutella! ¿Cuántas te vas a comer?

Pobrecillo. Deja que mamá se lo lleve de la habitación, todavía un poco confuso. Manipulado al cien por cien. Es lo que pasa cuando tienes cuatro años. Ya le gustaría a mamá que con Frank también colara ese truco.

Así que mamá ya sabe lo que es Land of Conquerors. Y «el conocimiento es poder», según Kofi Annan, el ex secretario general de Naciones Unidas. Aunque, como dijo Leonardo da Vinci: «Allí donde hay gritos, no hay verdadero conocimiento», lo que muy bien puede aplicarse a nuestra familia. (Por favor, no penséis que yo soy superculta ni nada por el estilo. Es que mamá me compró un libro de citas el mes pasado y lo voy hojeando mientras veo la tele.)

El problema es que lo del «conocimiento es poder» no sirve en este caso, porque mamá tiene cero poder sobre Frank. Es sábado por la tarde y mi hermano no ha parado de jugar a LOC desde la hora de comer. Se encerró en el cuarto de juegos nada más acabar el postre. Luego llamaron a la puerta y yo me escabullí al salón, que es mi espacio privado.

Son ya casi las seis y, al entrar sigilosamente en la cocina en busca de unas Oreo, me he encontrado allí a mamá dando vueltas toda nerviosa. Suspira, mira el reloj y vuelve a suspirar.

—¡Están todos enganchados al ordenador! —estalla de pronto—. ¡Les he pedido que lo apaguen como veinticinco veces! ¿Por qué no lo hacen? ¡Solo hay que pulsar un botón! Encendido, apagado.

—Puede que estén en un nivel que… —comienzo a decir yo.

—¡Niveles! —me interrumpe mamá ferozmente—. ¡Estoy harta de oír hablar de niveles! Les doy un minuto más. Y se acabó.

Saco un paquetito de galletas y lo abro.

—¿Y con quién está Frank?

—Con un amigo del colegio. No lo había visto nunca. Linus, creo que se llama…

Linus. Me acuerdo de Linus. Salía en la función escolar de *Matar a un ruiseñor*. Era Atticus Finch. Frank hacía de populacho.

Frank va al Colegio Cardinal Nicholls, que está en la misma calle que el mío, el Colegio Stokeland para chicas, y a veces los dos centros se juntan para hacer obras de teatro, conciertos y esas cosas. Aunque, a decir verdad, el Stokeland ya no es mi colegio. No voy a clase desde febrero porque pasaron unas cosas. Nada del otro mundo.

En fin…

Pasando a otro tema, el caso es que después de aquello me puse enferma y ahora voy a cambiar de colegio y a repetir curso para no quedarme atrás con el temario. Mi nuevo colegio se llama Academia Heath y dicen que lo más sensato sería empezar en septiembre y no en el trimestre de verano, cuando sobre todo hay exámenes. Así que, hasta entonces, estoy en casa.

Eso no quiere decir que no haga *nada*. Me han mandado mogollón de sugerencias de lectura, libros de matemáticas y listas de vocabulario en francés. Todo el mundo coincide en que es vital que lleve al día mis deberes. «¡Así te sentirás mucho mejor, Audrey!», me dicen (pero es mentira). Así que a veces mando un trabajo de historia o algo así y ellos me lo devuelven con algunos comentarios en rojo. Es todo un poco aleatorio.

Total, lo que quiero decir es que Linus salía en esa obra y hacía genial de Atticus Finch. Era noble, heroico y todo el mundo le creía. En una escena tenía que disparar a un perro rabioso y, una noche, la pistola de atrezo no funcionó, y nadie del público se rio de él. Ni siquiera hubo murmullos. Así de bien lo hacía.

Una vez vino a casa antes de un ensayo. Estuvo solo cinco minutos, pero aun así me acuerdo de él.

Aunque la verdad es que eso es irrelevante.

Estoy a punto de recordarle a mamá que Linus hacía de Atticus Finch cuando me doy cuenta de que ha salido de la cocina. Unos segundos después la oigo gritar:

—¡Ya has jugado bastante, jovencito!

Jovencito.

Corro a la puerta y miro por la rendija. Frank sale al pasillo detrás de mamá, temblando de rabia.

—¡No habíamos llegado al final del *nivel*! ¡No puedes apagar el juego sin más! ¿Entiendes lo que acabas de hacer, mamá? ¿Sabes siquiera cómo funciona Land of Conquerors?

Parece realmente furioso. Se ha parado justo debajo de donde estoy. El pelo negro le cae encima de la frente pálida, agita los brazos flacuchos y sus manos grandes y huesudas gesticulan frenéticamente. Espero que algún día crezca lo suficiente para ponerse al nivel de sus manos y sus pies. No pueden seguir siendo tan ridículamente enormes, ¿no? En algún momento el resto de su cuerpo tendrá que alcanzarlos. Tiene quince años, así que todavía puede crecer casi medio metro. Papá mide un metro ochenta y dos, pero siempre dice que Frank acabará siendo más alto que él.

—No pasa nada —dice una voz que me suena. Es Linus, pero no puedo verlo por la rendija de la puerta—. Me voy a casa. Gracias por invitarme.

—¡No te vayas! —exclama mamá con su mejor tono de anfitriona encantadora—. Por favor, Linus, no te vayas a casa. No me refería a eso en absoluto.

—Pero si no podemos jugar... —Linus parece desconcertado.

—¿Quieres decir que la única forma de relacionaros que conocéis es jugar a los videojuegos? ¿Os dais cuenta de lo triste que es eso?

—Bueno, ¿y qué propones que hagamos? —pregunta Frank malhumorado.

—Creo que deberíais jugar al bádminton. Hace una tarde de verano preciosa, el jardín es una maravilla ¡y mirad lo que he encontrado!

Le enseña a Frank el viejo equipo de bádminton. La red está toda retorcida y veo que algún animalillo ha mordisqueado los volantes de las pelotas.

Me da la risa al ver la cara que pone Frank.

—Mamá... —Parece casi mudo de espanto—. ¿De dónde has *sacado* eso?

—¡O al cróquet! —añade ella jovialmente—. Es muy divertido.

Frank ni siquiera contesta. Parece tan horrorizado ante la idea de jugar al cróquet que hasta me da pena.

—O al escondite.

Se me escapa la risa y me tapo la boca con la mano. No puedo evitarlo. El escondite...

—¡O al Rummikub! —propone mamá, desesperada—. Antes te encantaba jugar al Rummikub.

—A mí me gusta —dice Linus, y noto una punzadita de simpatía por él.

Llegados a este punto podría haber pasado de Frank con todas las de la ley, haberse ido derecho a casa y haber escrito en Facebook que en casa de Frank hay muy mal rollo. Pero parece que quiere complacer a mamá. Da la impresión de ser una de esas personas que miran a su alrededor y piensan: «Bueno, ¿por qué *no* hacerle la vida más fácil a todo el mundo?» (Todo esto lo estoy deduciendo, como veis, de cuatro palabritas.)

—¿Quieres jugar al Rummikub? —Frank no parece creérselo.

—¿Por qué no? —contesta Linus tranquilamente, y un momento después se meten otra vez en el cuarto de juegos. (Cuando cumplí trece años, mamá y papá lo repintaron y lo bautizaron como «el Despacho de los Adolescentes», pero sigue siendo el cuarto de juegos.)

Un momento después mamá vuelve a la cocina y se sirve una copa de vino.

—¡Ya está! —dice—. Solo necesitan que les orienten un poco. Un poco de control paterno. Me he limitado a abrir sus mentes. No están *enganchados* a los ordenadores. Solo necesitan que alguien les recuerde que hay más cosas en el mundo.

No me lo dice a mí. Se lo dice al Juez Imaginario del *Daily Mail* que fiscaliza constantemente su vida y le pone nota de uno a diez.

—No creo que el Rummikub sea un buen juego para dos —afirmo yo—. Porque tardarás un siglo en librarte de tus fichas.

Noto que mamá le da vueltas a lo que acabo de decir. Seguro que se está imaginando lo mismo que yo: a Frank y a Linus sentados frente a frente con el Rummikub en la mesa, enfurruñados, detestando el juego y pensando que todos los juegos de mesa son una basura y dan asco.

—Tienes razón —admite por fin—. Creo que voy a ir a jugar con ellos. Así será más divertido.

No me pregunta si yo también quiero jugar, y se lo agradezco.

—Pues que os divirtáis —digo, y me llevo el paquete de Oreos.

Cruzo la cocina, entro en el salón y estoy zapeando en la tele cuando oigo la voz de mamá retumbando en toda la casa.

—¡NO ME REFERÍA A QUE JUGARAIS EN LÍNEA!

Nuestra casa es como un sistema climático: fluye y refluye, sube y baja. Tiene momentos de dicha de un azul radiante, días de gris abatimiento y tormentas eléctricas surgidas de la nada. Ahora mismo, la tormenta se dirige hacia mí. Rayo-trueno-rayo-trueno, Frank-mamá-Frank-mamá.

—¿Qué importa que sea en línea?

—¡Claro que importa, y mucho! ¡Te he dicho que se acabó jugar con el ordenador!

—¡Jolín, mamá, es el mismo juego!

—¡No, no lo es! ¡Te quiero lejos de esa pantalla! ¡Quiero que juegues con tu amigo! ¡EN LA VIDA REAL!

—Con dos jugadores no tiene gracia. Es como si estuviéramos jugando, yo qué sé, al maldito parchís.

—¡Ya lo sé! —replica mamá casi chillando—. ¡Por eso venía a jugar con vosotros!

—¡Vale, pero yo NO LO SABÍA, MALDITA SEA!

—¡Deja de decir palabrotas! Si dices una más, jovencito...

Jovencito.

Oigo el ruido que hace siempre Frank cuando está enfadado. Es una cosa a medio camino entre el bramido de un rinoceronte y un chillido de frustración.

—«Maldita sea» no es una palabrota —dice, respirando con fuerza como para refrenar su impaciencia.

—¡Sí que lo es!

—Lo dicen en las películas de Harry Potter, ¿vale? En Harry Potter. ¿Cómo va a ser una palabrota?

—¿Qué? —Mamá parece haberse perdido.

—Harry Potter. No tengo nada más que añadir.

—¿Adónde crees que vas, jovencito?

Jovencito. Y van tres. Pobre papá. Le va a caer una cuando llegue a casa...

—Hola.

La voz de Linus me pilla desprevenida y me vuelvo de un salto. De un salto, literalmente. Tengo los reflejos a flor de piel. Hipersensibilizados. Igual que el resto de mi ser.

Está en la puerta. La imagen de Atticus Finch me atraviesa el cerebro como un disparo. Un adolescente desgarbado, con el pelo castaño, los pómulos anchos, el pelo lacio y una de esas sonrisas que parecen un gajo de naranja. No es que tenga los dientes anaranjados, pero su boca tiene esa forma cuando sonríe. Cosa que está haciendo en este momento. Los otros amigos de Frank nunca sonríen.

Entra en el salón y yo cierro instintivamente los puños, de puro miedo. Debe de haberse escabullido mientras mamá y Frank estaban discutiendo. Pero en esta habitación nunca entra nadie. Es mi espacio. ¿Es que no se lo ha dicho Frank?

¿Es que no se lo ha *contado*?

Empiezo a respirar agitadamente, aterrorizada. Ya se me han saltado las lágrimas. Noto la garganta paralizada. Necesito escapar. Necesito… No puedo…

Aquí no entra nadie. *Nadie tiene permiso para entrar aquí.*

Oigo la voz de la doctora Sarah dentro de mi cabeza. Retazos de nuestras conversaciones.

Inspira mientras cuentas hasta cuatro, suelta el aire contando hasta siete.

Tu cuerpo cree que el peligro es real, Audrey. Pero no lo es.

—Hola —dice otra vez—. Soy Linus. Tú eres Audrey, ¿no?

El peligro no es real. Intento meter a la fuerza alguna palabra dentro de mi cabeza, pero el pánico las ahoga. Lo abarca todo. Es como un hongo nuclear.

—¿Siempre las llevas puestas? —Señala mis gafas de sol.

Mi pecho sube y baja a toda prisa por el terror. De algún modo consigo pasar a su lado.

—Perdona —digo con un hilillo de voz, y me escabullo por la cocina como un zorro perseguido.

Subo las escaleras. Entro en mi cuarto. Me meto en el rincón del fondo. Acurrucada detrás de la cortina. Respiro con la velocidad de un pistón y las lágrimas me corren por la cara. Necesito un Clonazepam, pero ahora mismo no puedo salir de detrás de la cortina para coger uno. Me agarro a la tela como si fuera mi única salvación.

—¿Audrey? —Mamá está en la puerta de la habitación—. ¿Cariño? —pregunta alarmada, con voz chillona—. ¿Qué ha pasado?

—Nada, solo que… ya sabes. —Trago saliva—. Ha entrado ese chico y no me lo esperaba…

—No pasa nada. —Se acerca y me acaricia la cabeza—. No tiene importancia. Es perfectamente comprensible. ¿Quieres tomarte un…?

Mamá nunca dice en voz alta el nombre de la medicación.

—Sí.

—Voy a por uno.

Se va al cuarto de baño y oigo correr el agua. Y me siento estúpida, solo eso. Estúpida.

◆ ◆ ◆

Así que ya lo sabéis.

Bueno, supongo que no, pero seguro que lo habréis adivinado. Para sacaros de dudas, he aquí el diagnóstico al completo: fobia social, trastorno de ansiedad generalizada y episodios depresivos.

Episodios. Como si la depresión fuera una serie con un puntazo en cada capítulo. O un disco duro cargado con pelis de suspense. Pero el único suspense de mi vida es cuándo saldré de esta mierda. Y os aseguro que es bastante monótono.

En mi siguiente sesión con la doctora Sarah le cuento lo de Linus y lo de mi ataque de ansiedad, y me escucha pensativamente. La doctora Sarah lo hace todo así: pensativamente. Escucha pensativamente, escribe pensativamente con una letra muy bonita y sinuosa, y hasta teclea en su ordenador pensativamente.

Se apellida McVeigh pero la llamamos doctora Sarah porque estuvieron sopesando la cuestión en una reunión al más alto nivel y decidieron que lo de llamar a los médicos por su nombre de pila transmitía confianza, mientras que llamarles «doctor» o «doctora» no solo les confería autoridad sino que además resultaba tranquilizador. Así pues, concluyeron que llamarles «doctor o doctora nombre de pila» era el alias perfecto para la unidad de psiquiatría infantil.

(Cuando me dijo lo del alias, pensé que iban a llamarlos a todos así: doctor o doctora nombre de pila. En serio, lo pensé unos diez minutos, hasta que me lo aclaró.)

La unidad de psiquiatría infantil está en un hospital privado muy grande que se llama Saint John's, y al que mis padres pueden ir porque tienen seguro gracias al trabajo de papá. (Lo primero que te preguntan cuando llegas no es «¿Cómo te encuentras?» sino «¿Tienes seguro?») Estuve ingresada allí un mes y medio, cuando mis padres se percataron de que me pasaba algo grave. El problema es que la depresión no tiene síntomas visibles como granos o fiebre, así que al principio no te das cuenta. Sigues diciéndole a la gente que estás bien cuando en realidad no lo estás. Crees que *deberías* estarlo, y te dices continuamente a ti misma «¿Por qué no estoy bien?».

Total, que al final papá y mamá me llevaron al médico de cabecera, el médico me mandó al especialista y acabé en el hospital. Estaba bastante hecha polvo. La verdad es que, para ser sincera, no recuerdo muy bien esos primeros días. Ahora vengo a consulta cada dos semanas. Podría venir más a menudo si quisiera, siempre me lo dicen. También podría hacer magdalenas, pero las he hecho como cien millones de veces y la receta siempre es la misma.

Cuando acabo de contarle a la doctora Sarah que me escondí detrás de la cortina, se queda un rato mirando el cuestionario de respuesta múltiple que he rellenado al llegar. Las preguntas habituales.

¿Te sientes fracasada? Muchísimo.

¿Alguna vez desearías no existir? Muchísimas.

La doctora Sarah llama a esta hoja mis «síntomas». A veces me pregunto si no debería tumbarme sin más y decirle que lo veo todo de color de rosa. Pero lo curioso es que no lo hago. No puedo hacerle eso a la doctora Sarah. Estamos juntas en esto.

—¿Y cómo te sientes respecto a lo que ocurrió? —pregunta con esa voz amable y serena que tiene.

—Me siento estancada.

La palabra «estancada» me sale sin pensarlo. No sabía que me sentía estancada.

—¿Estancada?

—Llevo *un siglo* enferma.

—Un siglo no —dice con calma—. Te vi por primera vez...
—Consulta su monitor—. El 6 de marzo. Seguramente ya llevabas un tiempo enferma aunque no te dieras cuenta. Pero la buena noticia es que has progresado mucho, Audrey. Vas mejorando cada día.

—¿*Mejorando*? —Intento conservar la calma—. Se supone que septiembre empiezo a ir a un colegio nuevo. Y ni siquiera puedo hablar con la gente. Viene una persona nueva a casa y me entra el pánico. ¿Cómo voy a ir a clase? ¿Cómo voy a hacer nada? ¿Y si me quedo así para siempre?

Una lágrima me resbala por la mejilla. ¿De dónde diablos ha salido? La doctora Sarah me alcanza un pañuelo de papel sin decir nada y me froto los ojos levantándome un momento las gafas de sol.

—En primer lugar, no vas a estar así para siempre —afirma—. Tu dolencia puede tratarse perfectamente. *Perfectamente.*

Me lo ha dicho como mil veces antes.

—Has hecho progresos notables desde que empezó el tratamiento —continúa—. Solo estamos en mayo. Tengo plena confianza en que estés lista para ir a clase en septiembre. Pero para eso es necesario...

—Lo sé. —Me rodeo el cuerpo con los brazos—. Perseverancia, paciencia y práctica.

—¿Te has quitado las gafas de sol esta semana? —pregunta.

—No mucho.

O sea que *nada en absoluto,* y ella lo sabe.

—¿Has mirado a los ojos a alguien?

No respondo. Se suponía que tenía que intentarlo. Con un miembro de mi familia. Solo unos segundos cada día.

Ni siquiera se lo he dicho a mamá. Habría montado un lío tremendo.

—¿Audrey?

—No —mascullo con la cabeza gacha.

Lo de mirar a los ojos es duro. Es lo más duro. Sólo de pensarlo me pongo enferma, se me encogen las entrañas.

Sé (lo sabe mi cabeza) que los ojos no dan miedo. No son más que glóbulos de gelatina pequeñitos e inofensivos. Una fracción minúscula de toda nuestra masa corporal. Y todos los tenemos. Así que, ¿por qué me angustian tanto? He tenido mucho tiempo para pensar en esto y, si queréis que os diga la verdad, creo que la mayoría de la gente infravalora los ojos. Para empezar, son muy potentes. Tienen alcance. Enfocas la mirada en una persona que está a treinta metros de distancia, entre un montón de gente, y esa persona *se da cuenta* de que la estás mirando. ¿Qué otra parte de la anatomía humana puede hacer eso? Es prácticamente un poder paranormal, eso es lo que es.

Pero además es que son como torbellinos. Son infinitos. Miras a alguien directamente a los ojos y puede sorberte el alma en un nanosegundo. O por lo menos eso parece. Los ojos de los demás son insondables, y eso es lo que me asusta.

Se hace el silencio en la habitación un rato. La doctora Sarah no dice nada. Está pensando. Me gusta cuando piensa. Si pudiera acurrucarme dentro del cerebro de alguien, creo que sería en el suyo.

—Quiero proponerte una idea. —Levanta la mirada—. ¿Qué te parecería hacer una película?

—¿Qué? —La miro estupefacta.

No me esperaba esto. Me esperaba una hoja con un ejercicio impreso.

—Un documental. Lo único que necesitas es una cámara digital baratita. Quizá tus padres puedan conseguirte una, o podríamos buscarte una aquí, prestada.

—¿Y qué haría con ella?

Me hago la tonta a propósito y finjo desinterés porque en el fondo estoy emocionada. Es la primera vez que me hablan de hacer una película. ¿Significará algo? ¿Será como hacer magdalenas, pero algo distinto?

—Creo que puede ser un buen modo para que hagas la transición del punto en el que estás ahora a… —Hace una pausa—. Al punto en el que queremos que estés. Al principio puedes grabar solo como observadora. Como si fueras una mosca en la pared. ¿Entiendes lo que quiero decir?

Asiento con la cabeza, intentando disimular mi angustia creciente. Esto va demasiado deprisa.

—Luego, pasado un tiempo, me gustaría que empezaras a hacer entrevistas. ¿Crees que podrías mirar a los ojos a otras personas a través de una cámara?

Noto un fogonazo de terror cegador, pero procuro ignorarlo porque mi cerebro a menudo me envía mensajes que *no son ciertos y de los que no debo hacer caso*. Es lo primero que se aprende en Saint John's: que tu cerebro es idiota.

—No sé. —Trago saliva y noto que aprieto los puños—. A lo mejor.

—Estupendo. —La doctora Sarah me dedica su sonrisa angelical—. Sé que te parece muy difícil y que te asusta, Audrey. Pero creo que es un proyecto muy beneficioso para ti.

—Vale, mire, no entiendo…

Hago una pausa e intento controlarme. Que no se me agolpen las lágrimas de terror. Ni siquiera sé de qué tengo miedo. ¿De la cámara? ¿De una idea nueva? ¿De que me exijan algo que no me esperaba?

—¿Qué es lo que no entiendes?

—¿Qué tengo que filmar?

—Lo que sea. Cualquier cosa con la que te topes. Tú enfoca la cámara y graba. Tu casa, las personas que viven en ella… Pinta un retrato de tu familia.

—Ya. —No puedo remediarlo: suelto un bufido—. Lo llamaré *Mi serena y encantadora familia*.

—Si quieres. —Se ríe—. Estoy deseando verlo.

MI SERENA Y ENCANTADORA FAMILIA – TRANSCRIP-
CIÓN DEL DOCUMENTAL

INTERIOR. ROSEWOOD CLOSE Nº 5. DÍA

La cámara recorre una cocina atestada de cosas.

> AUDREY (VOZ EN OFF)
> Bueno, bienvenidos a mi documental.
> Esta es la cocina. Esta es la mesa de la
> cocina. Frank es un cerdo: no ha reco-
> gido su desayuno.

ENFOQUE: una mesa de pino arañada en la que hay un
bol de cereales usado, un plato lleno de migas y un bote
de Nutella del que sobresale una cucharilla.

> AUDREY (V.E.O.)
> Estos son los armarios de la cocina.

ENFOQUE: una serie de armarios de cocina de madera
pintados de gris. La cámara los recorre lentamente.

> AUDREY (V.E.O.)
> Esto es una estupidez. No sé qué se su-
> pone que tengo que filmar. Esta es la
> ventana.

ENFOQUE: una ventana que da al jardín, donde vemos
un viejo balancín y una barbacoa nuevecita, con las eti-
quetas todavía puestas. La cámara enfoca la barbacoa.

AUDREY (V.E.O.)
Ese es el regalo de cumpleaños de mi
padre. Debería usarla de verdad.

La cámara enfoca la puerta temblorosamente.

AUDREY (V.E.O.)
Vale, creo que debería presentarme.
Soy Audrey Turner y estoy grabando
esto porque...
(pausa)
En fin... Mis padres me han comprado
esta cámara. No paran de decir «¡A lo
mejor te conviertes en directora de documentales!» Se pusieron como locos y
se han gastado demasiado en la cámara. Yo les dije que me compraran la más
barata, pero se empeñaron, así que...

La cámara se desplaza bruscamente hasta el pasillo y
enfoca las escaleras.

AUDREY (V.E.O.)
Esas son las escaleras. Lo veis, ¿no?
No sois idiotas.
(pausa)
Ni siquiera sé quiénes sois. ¿Quién
está viendo esto? La doctora Sarah,
supongo. Hola, doctora Sarah.

La cámara sube por las escaleras a trompicones.

AUDREY (V.E.O.)
Bueno, ahora vamos al piso de arriba.
¿Quién vive en ESTA casa?

La cámara enfoca un sujetador de encaje negro que alguien ha dejado encima de la barandilla.

>   AUDREY (V.E.O.)
>   Eso es de mi madre.
>   (un silencio)
>   En realidad, es posible que no quiera
>   que lo veáis.

La cámara dobla una esquina y enfoca una puerta entreabierta.

>   AUDREY (V.E.O.)
>   Ese es el cuarto de Frank, pero no
>   puedo ni acercarme debido al olor. Voy
>   a activar el zoom.

La cámara enfoca una zona de suelo cubierta de deportivas, calcetines sucios, una toalla mojada, tres libros de Scott Pilgrim y una bolsa medio vacía de chucherías Haribo, todo amontonado.

>   AUDREY (V.E.O.)
>   Toda la habitación está así. Solo para
>   que lo sepáis.

La cámara se desplaza por el descansillo de arriba.

>   AUDREY (V.E.O.)
>   Y esta es la habitación de mis padres...

La cámara enfoca una puerta medio abierta. Oímos una voz procedente del interior. Es MAMÁ, la madre de Audrey. Habla atropelladamente y en voz baja pero aun así la oímos.

MAMÁ (V.E.O.)

Estaba contándolo en el grupo de lectura y Caroline me ha preguntado si tenía novia. ¡Pues no, no la tiene! ¿Será ESE el problema? Si tuviera una novia, quizá saldría más en lugar de pasarse el día encorvado delante de la pantalla. A ver, ¿por qué NO tiene novia?

PAPÁ (V.E.O.)

No sé. ¡No me mires así! ¡No es culpa mía!

AUDREY (V.E.O.)
(en voz baja)

Esos son mis padres. Creo que están hablando de Frank.

MAMÁ (V.E.O.)

Pues he tenido una idea. Tenemos que prepararle una fiesta. Tenderle una trampa para que conozca chicas guapas.

PAPÁ (V.E.O.)

¿UNA FIESTA? ¿Lo dices en serio?

MAMÁ (V.E.O.)

¿Por qué no? Sería divertido. Antes le organizábamos unas fiestas estupendas.

PAPÁ (V.E.O.)

—Cuando tenía OCHO años. Anne, ¿tú sabes cómo son las fiestas de adolescentes? ¿Y si se dan de navajazos o practican el sexo en la cama elástica?

MAMÁ (V.E.O.)
¡Qué va! No lo harán, ¿verdad que no?
Ay, Dios...

La puerta se cierra ligeramente. La cámara se acerca
para captar el sonido.

MAMÁ (V.E.O.)
Chris, ¿tú has hablado con Frank de
padre a hijo?

PAPÁ (V.E.O.)
No. ¿Y tú? ¿Has hablado con él de madre a hijo?

MAMÁ (V.E.O.)
Le compré un libro. Tenía ilustraciones de... Ya sabes.

PAPÁ (V.E.O.)
(con interés)
¿Sí? ¿Qué clase de ilustraciones?

MAMÁ (V.E.O.)
Ya sabes.

PAPÁ (V.E.O.)
No, no sé.

MAMÁ (V.E.O.)
(con impaciencia)
Sí que lo sabes. Puedes imaginártelo.

PAPÁ (V.E.O.)
No quiero imaginármelo. Quiero que
me las describas muy despacio, con
acento francés.

MAMÁ (V.E.O.)
(medio riéndose, medio enfadada)
¡Para, Chris!

PAPÁ (V.E.O.)
¿Es que aquí solo puede divertirse
Frank?

Se abre la puerta y sale papá. Es un hombre guapo de
cuarenta y pocos años. Viste traje y sostiene una máscara de buceo. Se sobresalta al ver la cámara.

PAPÁ
¡Audrey! ¿Qué haces aquí?

AUDREY (V.E.O.)
Estoy grabando. Ya sabes, para mi
proyecto.

PAPÁ
Ya. Sí, claro. ¡Cariño! (Llama en tono de
advertencia.) Audrey está grabando...

Mamá aparece en la puerta, vestida con falda y sujetador. Se tapa la parte de arriba con las manos y suelta
un gritito al ver la cámara.

PAPÁ
A eso me refería cuando he dicho que
estaba grabando.

MAMÁ
(acalorada)
Ah, ya veo.

Descuelga una bata de la percha de la puerta y se envuelve con ella la parte de arriba.

MAMÁ
Bueno, muy bien, cariño. Va a ser una
película estupenda. Pero quizá la
próxima vez deberías avisarnos de
que estás grabando.
(Mira a papá y carraspea.)
Solo estábamos hablando de... eh... de
la crisis en... Oriente Medio.

PAPÁ
(Asiente con la cabeza.)
Eso es, Oriente Medio.

Miran los dos a la cámara sin saber qué hacer.

Vale, ahora los antecedentes. Querréis saber cuáles son, supongo. *Anteriormente, en la vida de Audrey Turner...*

Solo que... Jo. No puedo volver a pasar por eso. Perdonad, pero no puedo. Estoy harta de sentarme con profesores y médicos y de regurgitar siempre la misma historia usando las mismas palabras, hasta que empiezo a sentir que no me pasó a mí, sino a otra persona.

Todos los implicados empiezan a parecerme irreales: las chicas del Colegio Stokeland, la señorita Amerson, la directora, que decía que yo estaba equivocada y que solo quería llamar la atención... (Llamar la atención. Dios de la Ironía, ¿tú has oído eso?)

Nadie averiguó nunca el porqué. Bueno, sí, en cierto modo lo averiguamos, pero la *verdadera razón*, esa nunca la descubrimos.

Hubo, tachán-tachán, un gran escándalo. Tres chicas fueron expulsadas, lo que constituye un récord. Mis padres me sacaron del Stokeland inmediatamente y desde entonces he estado en casa. Bueno, y en el hospital, pero eso ya os lo he contado. La idea es que «empiece de cero» en la Academia Heath. Solo que para «empezar de cero» primero tienes que «salir de casa», y es ahí donde yo tengo un problemilla.

No es el exterior *en sí mismo*. No son los árboles, ni el aire, ni el cielo. Es la gente. Bueno, no *toda* la gente. Vosotros no, seguramente. Con vosotros estaría bien. Tengo mi gente de confianza:

personas con las que puedo hablar y reírme y sentirme relajada. Es solo que forman un grupo muy pequeño. Minúsculo, podría decirse, comparado con la población mundial. O incluso con la cantidad de gente que viaja de media en un autobús.

Puedo cenar con mi familia. Puedo ir a ver a la doctora Sarah en mi pequeña burbuja (coche-sala de espera-consulta de la doctora Sarah-coche-casa). Con la gente de los grupos de terapia del Saint John's también me siento a gusto. Porque no son un peligro. (Vale, vale, ya *sé* que la gente en general tampoco es peligrosa. Pero prueba a decírselo al tonto de mi cerebro.)

El problema son todos los demás. La gente de la calle, la que toca a la puerta, la que llama por teléfono. No te das cuenta de la cantidad de personas que hay en el mundo hasta que empiezan a darte miedo. La doctora Sarah dice que quizá nunca vaya a sentirme cómoda en medio de una muchedumbre, y que no pasa nada, pero que tengo que aprender a «bajar el volumen» de esos pensamientos que me dicen que debo sentirme aterrorizada. Cuando me lo dice ella parece totalmente razonable, y pienso: «¡Sí! ¡Puedo hacerlo! Está chupado». Pero luego el cartero llama a la puerta y huyo despavorida sin poder evitarlo.

El caso es que en realidad nunca he pertenecido de verdad al *mundo exterior*, ni siquiera cuando estaba bien. En una pandilla de chicas, yo era la que siempre estaba sola, escondida detrás de su pelo. La que hacía esfuerzos por sumarse a la conversación sobre sujetadores (aunque para usar sujetador primero haya que tener una silueta femenina). La paranoica que creía que todo el mundo la miraba pensando que era un adefesio.

Y, al mismo tiempo, era a mí a la que siempre exhibían delante de las visitas: «Audrey, nuestra alumna más brillante», «Audrey, la estrella de nuestro equipo de baloncesto».

Un consejo para los profesores que lean esto (o sea, ninguno, posiblemente): intentad *no* exhibir a la chica que se asusta cuando alguien la mira. Porque no ayuda nada. Y tampoco ayuda decir cuando puede oírte toda la clase: «Es la gran esperanza del grupo de este año, tiene tanto talento...»

¿Quién quiere ser la gran esperanza? ¿Quién quiere tener «tanto talento»? ¿Quién quiere que el resto de la clase le lance miradas como puñaladas?

No es que culpe a esos profesores. Es solo un decir.

Total, que pasaron cosas malas. Y que yo me deslicé por un precipicio. Y aquí estoy. Atascada en mi cerebro imbécil.

Papá dice que es totalmente comprensible, que he pasado por una experiencia traumática y que ahora soy como un bebé al que le entra el pánico en cuanto lo coge alguien a quien no conoce. Yo he visto a bebés así, y es verdad que en un abrir y cerrar de ojos pasan de estar felices y haciendo gorgoritos a ponerse a berrear. Bueno, yo no berreo. No mucho, por lo menos.

Aunque ganas no me faltan.

Seguís queriendo saber qué pasó, ¿a que sí? Seguís teniendo curiosidad. No me extraña, la verdad.

Pero ¿acaso importa qué me pasó exactamente y por qué expulsaron a esas chicas? Es irrelevante. Sucedió. Se acabó. Es agua pasada. Y prefiero no entrar en eso.

No hace falta que nos hagamos confesiones. Es otra cosa que he aprendido en terapia: que no pasa nada por ser reservado. Por decir que no. O por decir: «No voy a contar eso». Así que, si no os importa, dejémoslo así.

Agradezco vuestro interés y vuestra preocupación, en serio. Pero no hace falta que ensuciéis vuestro cerebro con esas cosas. En vez de hacerlo, poneos a escuchar una canción bonita.

MI SERENA Y ENCANTADORA FAMILIA – TRANSCRIPCIÓN DEL DOCUMENTAL

INT. ROSEWOOD CLOSE Nº 5. DÍA

La cámara recorre el vestíbulo de la casa y enfoca las baldosas del suelo.

AUDREY (VOZ EN OFF)
Bueno, estas baldosas son auténticas baldosas victorianas, o algo así. Mi madre las encontró en un contenedor y nos hizo cargar con ellas hasta casa. Tardamos UNA ETERNIDAD. Teníamos un suelo estupendo, pero empezó con el rollo de que eran «¡historia!». Pero el caso es que alguien las tiró a la basura. ¿Es que no lo entiende?

MAMÁ
¡Frank!

Mamá sale al vestíbulo.

MAMÁ
¡Frank!
(a Audrey) ¿Dónde está tu hermano? Ah. Estás grabando.

Se echa el pelo hacia atrás y mete tripa.

MAMÁ
¡Muy bien, cielo!

FRANK entra tranquilamente en el vestíbulo.

MAMÁ

¡Frank! He encontrado esto en la casita de juguete de Félix.

Agita delante de sus narices un montón de envoltorios
de chucherías.

MAMÁ

En primer lugar, no quiero que te sientes encima de la casita. El tejado es
inestable y es un mal ejemplo para Félix.
En segundo lugar, ¿te das cuenta de lo
tóxico que es todo ese azúcar para tu
cuerpo? ¿Te das cuenta?

Frank no contesta, se limita a mirarla con fastidio.

MAMÁ

¿Cuánto ejercicio haces a la semana?

FRANK

Mucho.

MAMÁ

Pues no es suficiente. Mañana iremos
a correr juntos.

FRANK

(furioso)

¿A correr? ¿Hablas en serio? ¿A CO-
RRER?

MAMÁ

Necesitas salir más. ¡A tu edad, yo vivía a la intemperie! Siempre estaba haciendo deporte, disfrutando de la naturaleza, caminando por el bosque, valoraba el mundo exterior...

FRANK

La semana pasada dijiste que a mi edad estabas «siempre leyendo».

MAMÁ

Y así es. Hacía las dos cosas.

AUDREY
(desde detrás de la cámara)
El año pasado dijiste que a nuestra edad estabas «siempre yendo a museos y a actividades culturales».

Mamá parece darse cuenta de que la hemos pillado en un renuncio.

MAMÁ
(con aspereza)
Hacía todas esas cosas. Mañana vamos a ir a correr juntos. Y no es negociable.
(al ver que Frank suspira)
No es negociable. NO ES NEGOCIABLE, FRANK.

FRANK

Vale, vale.

MAMÁ
(con fingida naturalidad)
Ah, y otra cosa, Frank. Me estaba preguntando... En la obra de teatro de tu
colegio había algunas chicas muy mo-
nas, ¿verdad? ¿Tienes a alguna en...
ya sabes... en el horizonte? ¡Podrías
invitarla a dar una vuelta!

Frank le lanza una mirada fulminante. Suena el timbre y mira a cámara con expresión de advertencia.

FRANK
Oye, Aud, es Linus, por si quieres... ya
sabes. Quítate de en medio.

AUDREY (V.E.O.)
Gracias.

Mamá desaparece en la cocina. Frank se acerca a la
puerta de la calle. La cámara retrocede sin perder de
vista la puerta.

Frank abre y aparece Linus.

FRANK
Hola.

LINUS
Hola.

Linus mira hacia la cámara, que se desvía bruscamente y retrocede.

Luego, lentamente, desde más lejos, vuelve a fijarse en
la cara de Linus. Y la enfoca en primer plano.

La verdad es que solo estaba grabándole porque es amigo de Frank. Ya sabéis, como contexto familiar o algo así.

Vale. Y porque tiene una cara muy mona.

La he visto varias veces, dándole para atrás al vídeo.

Al día siguiente, después del desayuno, mamá baja en mallas, camiseta corta rosa y deportivas. Lleva un monitor de pulsaciones sujeto con velcro alrededor del pecho y sostiene una botella de agua.

—¿Listo? —grita hacia lo alto de las escaleras—. ¡Frank! ¡Nos vamos! ¡Frank! ¡FRANK!

Un siglo después aparece Frank. Lleva vaqueros negros, camiseta negra, sus zapatillas de siempre y el ceño fruncido.

—No puedes ir a correr así —dice mamá enseguida.

—Sí que puedo.

—No, no puedes. ¿Es que no tienes unos culotes?

—¿Unos *culotes*?

Pone una cara de desprecio tan terrible que se me escapa la risa.

—¿Qué tienen de malo los culotes? —pregunta mamá poniéndose a la defensiva—. Ese es el problema con vosotros, los jóvenes. Que tenéis unas miras muy estrechas. Estáis llenos de prejuicios.

Vosotros, los jóvenes. Tres palabras que señalan la inminencia de una bronca de mamá. La miro desde la puerta del cuarto de estar y, efectivamente, las señales son cada vez más claras. Se le llenan los ojos de ideas. Está claro que tiene cosas que decir. Respira cada vez más deprisa…

Y ¡bingo!

—¿Sabes, Frank? ¡Solo se tiene un cuerpo! —Se vuelve hacia él—. ¡Tienes que cuidarlo como un tesoro! ¡Tienes que mimarlo!

Y lo que me preocupa es que pareces no tener ni idea de lo que es llevar una vida saludable y hacer ejercicio... Solo quieres comer porquerías...

—Cuando lleguemos a tu edad —dice Frank, impertérrito—, habrá repuestos robóticos para sustituir las partes del cuerpo que se estropeen. Así que...

—¿Tienes idea de cuánta gente de tu edad tiene diabetes? —continúa ella—. ¿Sabes cuántos adolescentes obesos hay hoy en día? Y de los problemas de corazón no quiero ni hablar...

—Pues por mí no lo hagas —replica Frank amablemente, lo que parece enfurecerla aún más.

—¿Y sabes quién tiene la culpa? Tienen la culpa esas malditas pantallas. ¡Algunos chicos de tu edad no pueden ni levantarse del sofá!

—¿Cuántos? —pregunta Frank.

—¿Qué? —Mamá lo mira pasmada.

—¿Cuántos chicos de mi edad no pueden ni levantarse del sofá? Porque a mí eso me suena a trola. ¿Lo has leído en el *Daily Mail*?

Mamá lo mira con furia.

—Un número significativo.

—O sea, tres. Y porque se han roto una pierna.

No puedo evitar reírme, y mamá me lanza una mirada a mí también.

—Puedes burlarte de mí todo lo que quieras —le espeta a Frank—. Pero yo me tomo muy en serio mi responsabilidad como madre. Y no voy a permitir que te conviertas en un tubérculo de sofá. *No* voy a permitir que se endurezcan tus arterias. Ni que te conviertas en una estadística. Así que vamos. A correr. Empezaremos con unos ejercicios de calentamiento. Sígueme.

Empieza a caminar con paso decidido, agitando enérgicamente los brazos. Reconozco los movimientos, de su DVD de *Gimnasia con Davina*. Un momento después, Frank se le une y empieza a menear los brazos y a girar las pupilas cómicamente. Tengo que taparme la boca con el puño para parar de reír.

—Trabaja los músculos centrales —le dice mamá—. Deberías hacer pilates. ¿Has oído hablar de un ejercicio llamado «la plancha»?

—Venga ya —masculla Frank.

—Ahora, estírate…

Cuando se inclinan para estirar los tendones, Félix entra brincando en el vestíbulo.

—¡Yoga! —grita alegremente—. Yo sé hacer yoga. Sé hacer yoga MUY DEPRISA.

Se tumba boca arriba y empieza a patalear con las piernas en el aire.

—¡Hala! —le digo—. ¡Eso sí que es hacer yoga deprisa!

—Y además muy FUERTE. —Me mira muy serio—. Soy el que hace yoga más fuerte.

—Eres el que hace yoga más fuerte —repito yo.

—Muy bien. —Mamá levanta la cabeza—. Bueno, Frank, hoy vamos a tomárnoslo con calma, solo una carrerita agradable…

—¿Y qué hay de las flexiones? —la interrumpe él—. ¿No deberíamos hacer flexiones antes de irnos?

—¿*Flexiones*? —Mamá pone cara de horror un instante.

La he visto hacer flexiones con el DVD de Davina. Y no es un espectáculo agradable. Empieza a maldecir, a sudar, y a la quinta se da por vencida.

—Pues… sí. —Recobra la compostura—. Buena idea, Frank. Podemos hacer un par de flexiones.

—¿Qué tal treinta?

—¿Treinta? —Se pone pálida.

—Empiezo yo —dice Frank, y se tumba en el suelo.

Un momento después está subiendo y bajando los brazos, pegando la cara al suelo y levantándose rítmicamente. Se le da muy bien. En serio, se le da *de maravilla*.

Mamá lo mira como si se hubiera convertido en un elefante.

—¿Tú no vas a hacerlas? —pregunta Frank casi sin detenerse.

—Claro. —Mamá se pone a gatas, hace un par de flexiones y se para.

—¿No puedes seguir el ritmo? —dice Frank jadeando—. Veintitrés… Veinticuatro…

Mamá hace un par de flexiones más y luego se para resoplando. Esto no le está gustando nada.

—Frank, ¿dónde has aprendido a hacer flexiones? —le pregunta cuando él acaba. Parece casi enfadada, como si la hubiera engañado.

—En el colegio —contesta él sucintamente—. En educación física. —Se pone en cuclillas y le dedica una sonrisita maliciosa—. Y también sé correr. Estoy en el equipo de *cross*.

—¿Qué? —Mamá tiene cara de estar a punto de desmayarse—. No me lo habías dicho.

—¿Nos vamos? —Frank se pone en pie—. No quisiera convertirme en un adolescente obeso víctima de un ataque al corazón. —Mientras se dirigen a la puerta le oigo decir—: ¿Sabías que la mayoría de las mujeres maduras no hacen suficientes flexiones? Lo decía el *Daily Mail*.

◆ ◆ ◆

Cuarenta minutos después entran otra vez, jadeando. *Jadeando*, tal cual. Frank casi ni ha sudado, pero mamá parece al borde del colapso. Tiene la cara colorada y el pelo chorreando. Se agarra a la barandilla y resopla como un motor de tracción.

—¿Qué tal la carrera? —pregunta papá saliendo al vestíbulo, pero se para alarmado al ver a mamá—. Anne, ¿estás bien?

—Estoy bien —consigue contestar ella—. Estoy bien. Frank lo ha hecho muy bien, en serio.

—Frank da igual. ¿Qué tal estás tú? —Papá sigue mirándola fijamente—. Anne, ¿no te habrás pasado? ¡Creía que estabas en forma!

—¡Estoy en forma! —contesta prácticamente gritando—.

¡Me ha engañado!

Frank sacude la cabeza tristemente.

—Le vendría bien mejorar un poco el cardio —dice—. Mamá, solo se tiene un cuerpo. Hay que cuidarlo como un *tesoro*.

Y guiñándome un ojo se dirige al cuarto de juegos.

Frank tiene razón.

Pero mamá también. Todo el mundo tiene razón.

Después de salir a correr con mamá, Frank se pasó diez horas seguidas jugando en el ordenador. *Diez horas seguidas.* Mamá y papá estuvieron todo el día fuera con Félix, llevándole a una serie de fiestas de cumpleaños, y le dijeron a Frank que hiciera los deberes mientras estaban fuera. Frank dijo «Sí», y luego se conectó y ya está.

Ahora es domingo por la mañana y mamá se ha ido a tenis, papá está haciendo algo en el jardín y yo estoy viendo la tele en el salón cuando Frank aparece en la puerta.

—Hola.

—Hola.

Ya llevo las gafas de sol puestas y no vuelvo la cabeza.

—Oye, Audrey, a partir de ahora Linus va a pasar mucho tiempo en casa. Creo que deberías conocerle mejor. Está en mi equipo de LOC.

Ya me he tensado un poco con solo oírle decir «Linus» y «conocerle mejor».

—¿Por qué tengo que conocerle mejor? —contesto.

—Se siente un poco incómodo cuando viene a casa. Por lo que pasó el otro día, cuando saliste corriendo. Se asustó un poco.

Le miro con el ceño fruncido. No quiero que me lo recuerden.

—No tiene por qué sentirse incómodo —digo, y me abrazo las rodillas.

—Pues se siente incómodo. Cree que te pone nerviosa.

—Pues *díselo*. Ya sabes, lo de…

—Ya se lo he dicho.

—Pues entonces.

Hay un silencio. Frank sigue sin parecer contento.

—Si no quiere venir a casa, a lo mejor se va a otro equipo de LOC —dice—. Y es buenísimo, en serio.

—¿Quién más hay en el equipo? —Me vuelvo para mirar a mi hermano.

—Dos chicos del colegio, Nick y Rameen. Juegan en línea. Pero Linus y yo somos… como los estrategas. Vamos a presentarnos al torneo internacional de LOC y las eliminatorias son el 18 de julio, así que tenemos que practicar mogollón. El primer premio es de seis millones de dólares.

—¿Qué? —Lo miro sorprendida.

—En serio.

—¿Te dan seis millones de dólares? ¿Solo por jugar a LOC?

—No *solo* por jugar a LOC —contesta con impaciencia—. Es el nuevo deporte rey. —Hacía siglos que no le veía tan animado—. El torneo es en Toronto y están construyendo un estadio enorme. Va a ir todo el mundo. Es un montón de dinero. Es lo que no captan papá y mamá: que ahora ser un *gamer* es una salida laboral.

—Ya —digo, incrédula.

Fui a una feria de orientación laboral en el colegio, y no vi a nadie en una caseta con un letrero que dijera ¡TRABAJA DE GAMER!

—Así que tienes que hacer que Linus se sienta cómodo aquí —concluye Frank—. Le necesito en mi equipo.

—¿No puedes ir tú a su casa?

Menea la cabeza.

—Ya lo intentamos. Pero su abuela vive con ellos. Y tiene demencia. No nos dejaría en paz. Grita y llora, y a veces no sabe quién es Linus, o se pone a vaciar la nevera. Hay que vigilarla constantemente. Linus tiene que hacer todos los deberes en el colegio.

—Ya. —Intento digerir todo esto—. Pobre Linus. Bueno... ya sabes. Dile que no pasa nada.

—Me ha pedido tu número, pero... —Se encoge de hombros.

—Ya.

En este momento no tengo número de teléfono. Para colmo, les he cogido asco a los teléfonos. Fobia no, solo asco.

Cosa que Frank no entenderá ni en un millón de años.

Se marcha y yo pongo un programa de vídeos domésticos divertidos. Félix viene a verlo conmigo y nos acurrucamos juntos en el sofá. Félix es como un osito de peluche que habla y camina. Es suave y blandito y, si le aprietas la barriga, se ríe cada vez. Su cabeza es un revoltijo de rizos rubios, como el remolino de un diente de león, y tiene siempre cara de asombro y esperanza. Con él, tienes la sensación de que nada debe de irle mal, nunca jamás, en toda su vida.

Que supongo que es lo mismo que sentían mis padres conmigo.

—Bueno, ¿qué tal el cole, Félix? —le pregunto—. ¿Sigues siendo amigo de Aidan?

—Aidan tiene *maricela* —me dice.

—¿Varicela?

—*Maricela* —me corrige como si yo fuera idiota—. *Maricela*.

—Ah, ya. —Asiento con la cabeza—. Pues espero que tú no la pilles.

—Lucharé contra la *maricela* con mi espada —dice dándose importancia—. Soy muy fuerte.

Me quito las gafas de sol y contemplo su carita redonda y franca. Félix es el único al que soporto mirar a los ojos. A mis padres... Qué va. Sus ojos están llenos de preocupación y de miedo, además de saber más de la cuenta. Y también están demasiado llenos de amor, si es que eso tiene sentido. Si los miro, es como si todo se precipitara de nuevo sobre mí como una ola, mezclado con su rabia, que está totalmente justificada. No va dirigida contra mí, claro, pero aun así es tóxica.

Frank, cuando me mira, parece un poquito asustado. Es

como si pensara: «¡Socorro! Mi hermana se ha vuelto loca».
¿Qué hago? No quiere tener miedo pero lo tiene. Y es lógico,
claro. Su hermana vive encerrada en casa y siempre lleva gafas
negras. ¿Cómo no va a estar asustado?

Los ojos azules de Félix, en cambio, son tan claros, tan trans-
parentes y tranquilizadores como un vaso de agua clara. No
sabe nada, excepto que es Félix.

—Hola —digo pegando mi cara a la suya.

—Hola. —Me espachurra aún más—. ¿Quieres que hagamos un muñeco de nieve?

Está un poco obsesionado con *Frozen*, y no se lo reprocho.
Yo misma me identifico con Elsa. Solo que no estoy segura de
que vaya a derretir el hielo gracias a un acto de amor verdadero. Es más probable que lo pique con un picahielos.

—Audrey. —Oigo la voz de Frank—. Ha venido Linus. Te
manda esto.

Vuelvo a ponerme las gafas al levantar la cabeza. Frank me
tiende una hoja de papel doblada.

—Ah —digo, pasmada, y cojo la hoja—. Vale.

Cuando se va, la desdoblo y leo una letra que no conozco.

Hola. Siento lo del otro día. No quería asustarte.
Linus

Ay, Dios.

Sí: ay, Dios *a muchos niveles*. Primero, cree que me asustó.
(Cosa que es cierta, pero no porque él dé miedo.) Segundo, cree
que tiene que disculparse, lo que hace que me sienta fatal. Y tercero, ¿qué hago ahora?

Pienso un momento y luego escribo debajo:

No, soy yo quien lo siente. Es que soy un poco rara. No es
culpa tuya.
Audrey

—Félix, ve a darle esto a Linus. A *Linus* —repito cuando me mira perplejo—. El amigo de Frank. Linus, el chico mayor...

Coge el papel y lo mira un momento con mucha atención. Luego lo dobla, se lo guarda en el bolsillo y se pone a jugar con un tren.

—Ve, Félix, anda —insisto yo—. Dáselo a Linus.

—Pero me cabe en el bolsillo —protesta—. Es mi papel de bolsillo.

—No es para ti. Es una nota.

—¡Yo quiero un *papel de bolsillo*! —Empieza a hacer pucheros como si fuera a ponerse a llorar.

Por amor de Dios. En las películas, sujetan la nota al collar de un perro y el perro se va trotando obedientemente, sin andarse con tonterías.

—Vale, Félix, puedes tener un papel de bolsillo —le digo exasperada—. Aunque no sé qué es eso. Aquí tienes. —Arranco una hoja de una revista, la doblo y se la meto en el bolsillo—. Ahora ve a llevarle este a Linus. Al cuarto de juegos.

Cuando por fin se va, no tengo ninguna confianza en que la nota vaya a llegar a su destino. Es mil veces más probable que la tire a la basura, o la meta en el lector de DVD o que se olvide de que existe. Subo el volumen del programa de vídeos domésticos y procuro olvidarme del asunto.

Pero unos dos minutos después aparece Félix con la nota en la mano, gritando emocionado:

—¡Léelo! ¡Lee el papel de bolsillo!

Lo desdoblo, y resulta que Linus ha añadido otro renglón. Es como jugar al cadáver exquisito.

Frank me lo ha explicado. Debe de ser duro para ti.

Aliso el papel sobre mi rodilla y escribo:

No pasa nada. Bueno, ya sabes, sí pasa. Pero así son las cosas. Espero que estéis ganando. Por cierto, hiciste genial de Atticus Finch.

Mando la nota con Félix el Perro Prodigio y me quedo mirando fijamente la tele, aunque no me estoy enterando de nada. Solo estoy esperando. Hacía siglos que no hacía esto. No me relaciono con nadie que no sea de mi red de apoyo desde hace… No sé. Semanas. Meses. Un momento después, vuelve Félix y le quito el papel.

Vaya, gracias. La verdad es que vamos perdiendo. Frank me está gritando porque estoy escribiendo esto. Eres una mala influencia, Audrey.

Miro cómo ha escrito mi nombre. Me parece algo íntimo. Como si se hubiera adueñado de un trozo de mí. Escucho su voz diciendo mi nombre. *Audrey.*

—Dibuja las letras —me ordena Félix. Está totalmente metido en su papel de mensajero—. Dibújalas. —Clava el dedo en el papel—. ¡Las letras!

No quiero volver a darle el papel. Quiero doblarlo y guardarlo en alguna parte donde pueda mirarlo en privado. Estudiar su letra. Imaginármelo trazando mi nombre con el boli. *Audrey.*

Cojo otro folio de la mesita donde tengo todo mi material del colegio y garabateo:

Ha sido agradable charlar, o lo que sea esto.
Hasta otra.

Mando la nota y medio minuto después llega la respuesta:

Hasta otra.

Sigo con la primera hoja en la mano, la que lleva mi nombre escrito. Me la acerco a la cara y aspiro. Me parece sentir el olor de su jabón, o de su champú, o lo que sea.

Félix pega la nariz al otro papel y me mira por encima del borde con sus ojos enormes.

—Tu papel de bolsillo huele a *caca* —dice, y rompe a reír.

Nadie como un niño de cuatro años para amargarte un momento dulce.

—Gracias, Félix. —Le revuelvo el pelo—. Eres un mensajero genial.

—Dibuja más letras —me pide dando palmadas al papel—. Más letras.

—Ya se ha terminado la conversación —le digo, pero coge una cera y me la tiende.

—Hazlas rojas —me ordena—. Pon «Félix».

Escribo «Félix» y mira las letras con adoración mientras vuelvo a achucharlo para sentirme mejor.

Estoy como eufórica. Y también como si me hubiera quedado vacía, sin energías, lo que puede parecer una reacción exagerada, pero, por si aún no lo habéis notado, soy la Reina de la Exageración.

La verdad es que, cuando no te comunicas nunca con personas desconocidas, pierdes la práctica. Y cuando vuelves a hacerlo, es muy cansado. La doctora Sarah me lo había advertido. Me dice que no me sorprenda si me noto exhausta después de hacer una tarea de lo más insignificante o de dar un nuevo paso. Y, lo creáis o no, este absurdo intercambio de notitas ha sido agotador.

Aunque también muy agradable.

MI SERENA Y ENCANTADORA FAMILIA – TRANSCRIP-
CIÓN DEL DOCUMENTAL

INT. ROSEWOOD CLOSE N° 5. DÍA

La cámara enfoca una puerta cerrada.

> AUDREY (VOZ EN OFF)
> Este es el despacho de mi padre. Es
> donde trabaja cuando no está en la ofi-
> cina.

Una mano empuja la puerta. Vemos a papá arrellanado
en su silla, roncando suavemente. En el monitor se ve
un Alfa Romeo deportivo.

> AUDREY (V.E.O.)
> ¿Papá? ¿Estás dormido?

Da un brinco y apaga rápidamente el monitor.

> PAPÁ
> No, no estaba dormido. Estaba pensan-
> do. Bueno, ¿ya has envuelto tu regalo
> para mamá?

> AUDREY (V.E.O.)
> Por eso he venido. ¿Tienes papel de re-
> galo?

> PAPÁ
> Sí.

Agarra un rollo de papel de regalo y se lo tiende a Audrey.

PAPÁ
¡Y mira qué más!

Saca una caja grande de pastelería, la abre y enseña una tarta de cumpleaños de buen tamaño, adornada con un gran «39» de *fondant*.

Se hace un breve silencio.

AUDREY (V.E.O.)
Papá, ¿por qué has puesto «39» en la tarta de mamá?

PAPÁ
Nadie es demasiado mayor para una tarta de cumpleaños personalizada.
(Hace un guiño mirando a cámara.)
Yo no lo soy.

AUDREY (V.E.O.)
Ya, pero no cumple treinta y nueve.

PAPÁ
(atónito)
Claro que sí.

AUDREY (V.E.O.)
No, claro que no.

PAPÁ
Que sí, cumple...

Se interrumpe y sofoca un gemido. Está horrorizado. Mira la tarta y luego a cámara.

PAPÁ

Ay, Dios. ¿Le importará? No. Claro
que no. A fin de cuentas es solo un
año, ¿qué importancia tiene...?

AUDREY (V.E.O.)

Claro que va a importarle, papá, y
MUCHO.

Papá parece al borde del pánico.

PAPÁ

Necesitamos otra tarta. ¿Cuánto tiempo tenemos?

Oímos un portazo abajo.

MAMÁ (fuera de cuadro)
¡Ya estoy aquí!

Papá parece angustiado.

PAPÁ
¿Qué hago, Audrey?

AUDREY (V.E.O.)

Podemos arreglarlo. Podemos cambiar-
lo y poner «treinta y ocho».

PAPÁ
¿Cómo?

Coge un bote de Tippex.

AUDREY (V.E.O.)

¡No!

Llaman a la puerta y entra Frank.

FRANK

Ya ha llegado mamá. ¿Cuándo meren-
damos?

Papá está quitándole la capucha a un rotulador de punta fina.

PAPÁ

Voy a usar esto.

AUDREY (V.E.O.)

¡No! Frank, ve a la cocina. Necesitamos *fondant* o algo así. Cualquier cosa
comestible con la que se pueda escribir. Pero que mamá no se entere de lo
que haces.

FRANK
(perplejo)

¿Cualquier cosa comestible con la que
se pueda escribir?

PAPÁ

¡Rápido!

Frank se marcha. La cámara enfoca la tarta.

AUDREY (V.E.O.)

¿Cómo has podido equivocarte con su
edad? ¿Cómo es posible?

PAPÁ
(agarrándose la cabeza)
No lo sé. Me he pasado todo el mes re-
dactando informes financieros sobre
el año que viene. Solo pienso en el año
que viene. Creo que me he dejado un
año en alguna parte.

Frank irrumpe en la habitación llevando un bote estru-
jable de kétchup Heinz.

AUDREY (V.E.O.)
¿Kétchup? ¿Va en serio?

FRANK
(poniéndose a la defensiva)
¡Bueno, no se me ocurría otra cosa!

Papá agarra el bote.

PAPÁ
¿Podemos convertir un nueve en un
ocho con kétchup?

FRANK
No va a colar.

AUDREY (V.E.O.)
Repasa todo el número con kétchup.
Conviértela en una tarta de kétchup.

FRANK
¿Qué sentido tiene recubrir una tarta
con kétchup?

PAPÁ

(mientras maneja a toda prisa el bote de kétchup)
A mamá le encanta el kétchup. No
pasa nada. Va a quedar estupenda-
mente.

Vale, una advertencia: no intentéis arreglar una tarta de cumpleaños con kétchup. Habría dado mejor resultado el Tippex.

Cuando mi padre sacó la tarta, mamá se quedó boquiabierta. Y no en el buen sentido. Porque si coges una tarta recubierta de nata y la embadurnas con kétchup, el resultado viene a ser algo parecido a *La matanza de Texas*.

Nos pusimos todos a cantar «Cumpleaños feliz» a pleno pulmón y, en cuanto acabamos y mamá sopló su (única) vela, papá exclamó:

—¡Genial! Bueno, voy a quitar la vela y a cortar la tarta…

—Espera. —Mamá puso la mano encima de la suya—. ¿Qué ES esto? ¿No es kétchup?

—Es una receta de Heston Blumenthal —contestó papá sin pestañear—. Experimental.

—Ya. —Mamá seguía pareciendo atónita—. Pero ¿eso no es…? —Antes de que pudiéramos detenerla, se puso a quitar el kétchup con una servilleta—. ¡Ya me parecía! Hay un mensaje debajo.

—No es nada —se apresuró a decir papá.

—Pero ¡está escrito con *fondant*!

Quitó los últimos pegotes de kétchup y miramos todos en silencio la tarta embadurnada de blanco y rojo.

—Chris —dijo mamá por fin con una voz extraña—, ¿por qué pone «treinta y nueve»?

—¡No pone treinta y nueve! Pone treinta y ocho. Mira. —Pasó la mano por encima de los vestigios del kétchup—. Eso es un ocho.

—Nueve. —Félix señaló la tarta con aplomo—. Es el número *nueve*.

—¡Es un ocho, Félix! —dijo papá tajantemente—. ¡Un ocho!

Vi que Félix miraba la tarta desconcertado y sentí una punzada de lástima por él. ¿Cómo va a aprender nada teniendo por padres a dos chiflados?

—Es un nueve, Félix —le susurré al oído—. Papá está de broma.

—¿Crees que tengo treinta y nueve años? —Mamá miró a papá—. ¿*Aparento* treinta y nueve? ¿Eso es lo que piensas? —Se llevó las manos a la cara y lo miró con enfado—. ¿Esta te parece una cara de treinta y nueve años? ¿Es eso lo que me estás diciendo?

Creo que papá debería haber tirado la tarta a la basura y ya está.

◆ ◆ ◆

Así que esta noche mi padre va a llevar a mi madre a cenar para celebrar su cumpleaños, como es evidente por la nube de perfume que desciende de pronto sobre el descansillo de la escalera. Mamá no es precisamente sutil cuando sale por ahí. Siempre nos está diciendo que su vida social prácticamente no existe desde que tiene tres hijos, así que, cuando sale, intenta compensar esa carencia con perfume, perfilador de ojos, laca y tacones. Cuando baja tambaleándose por la escalera, veo que tiene una manchita de autobronceador en la parte de atrás del brazo, pero no se lo digo. A fin de cuentas, es su cumpleaños.

—¿Seguro que estás bien, cariño? —Me pone las manos sobre los hombros y me mira angustiada—. Tienes nuestros números de teléfono. Si hay algún problema, dile a Frank que nos llame enseguida.

Sabe que no se me dan muy bien los teléfonos. Por eso el canguro oficial es Frank, no yo.

—Estoy bien, mamá.

—Claro que sí —dice, pero no me suelta los hombros—. Cariño, tómatelo con calma. Vete prontito a la cama.

—Sí —le prometo.

—Y Frank… —Levanta la vista cuando mi hermano aparece en el vestíbulo—. Hoy solo vas a hacer deberes. Porque me llevo *esto*.

Blande triunfalmente un cable eléctrico, y Frank se queda boquiabierto.

—¿Has…?

—¿Si he desenchufado tu ordenador? Pues sí, jovencito, eso he hecho. No quiero verlo encendido ni un nanosegundo. Si acabas los deberes, puedes ver la tele o leer un libro. ¡Lee algo de Dickens!

—*Dickens* —repite Frank en tono desdeñoso.

—¡Sí, Dickens! ¿Por qué no? Yo, a tu edad…

—Ya lo sé —la interrumpe Frank—. Fuiste a ver a Dickens en directo. Y moló un montón.

Mamá pone los ojos en blanco.

—Muy gracioso.

—¡Bueno! ¿Dónde está la cumpleañera? —Papá baja a toda prisa las escaleras arrastrando una nube de *aftershave*. ¿Qué les pasa a los padres con el perfume?—. ¿Estáis bien, chicos? —Nos mira a mí y a Frank—. Porque vamos a estar a la vuelta de la esquina.

Mis padre son *incapaces* de salir de casa. Mamá tiene que ir a echar un último vistazo a Félix, y papá se acuerda de que ha dejado puesto el aspersor del jardín. Después, mamá quiere asegurarse de que su Sky+ está grabando *EastEnders*.

Por fin conseguimos que se marchen y nos miramos el uno al otro.

—Dentro de una hora estarán aquí —predice Frank, y se va al cuarto de juegos.

Yo lo sigo porque no tengo nada mejor que hacer, y a lo mejor me pongo a leer su nuevo libro de Scott Pilgrim. Se sienta delante del ordenador, revuelve dentro de su mochila y saca un cable eléctrico. Luego lo enchufa a su ordenador, se conecta y se pone a jugar una partida de LOC.

—¿Sabías que mamá iba a quitarte el cable? —le pregunto, impresionada.

—No es la primera vez que lo hace. Tengo como cinco.

Se le ponen los ojos vidriosos cuando empieza a jugar y me doy cuenta de que no tiene sentido intentar hablar con él. Busco con la mirada el libro de Scott Pilgrim, lo encuentro debajo de una bolsa grande de aritos de maíz vacía y me acurruco en el sofá para leerlo.

Tengo la impresión de que solo ha pasado un minuto cuando levanto la vista y veo a mamá en la puerta, con sus tacones. ¿De dónde ha salido?

—Mamá. —Parpadeo, desorientada—. ¿No te habías ido?

—He vuelto a buscar mi teléfono. —Su tono suena dulce y amenazador—. Frank, ¿qué estás haciendo?

Ay, Dios. Frank. ¡Frank! Vuelvo la cabeza, alarmada. Frank sigue moviendo el ratón por la alfombrilla, con los auriculares puestos.

—¡Frank! —vocifera mamá, y él mira por fin.

—¿Sí?

—¿Qué estás haciendo? —pregunta mamá en el mismo tono dulce y amenazador.

—Laboratorio de idiomas —contesta sin perder un instante.

—Laboratorio de… ¿qué? —Mamá parece estupefacta.

—Deberes de francés. Es un programa para aprender vocabulario. He tenido que buscar otro cable para hacer los deberes. He pensado que no te importaría.

Señala el monitor, y veo pasar flotando la palabra «*armoire*» por la pantalla en grandes letras rojas, seguida por «armario» en azul.

¡Ostras! Ha tenido que ser muy rápido para abrir esa pantalla.

La verdad es que jugar a LOC mejora tus reflejos. Eso es cierto.

—¿Has estado haciendo deberes de francés todo este rato?

Mamá me mira con los ojos entornados y yo miro para otro lado. No pienso meterme en esto.

—Yo he estado leyendo Scott Pilgrim —digo sinceramente.

Mamá vuelve a mirar a Frank.

—Frank, ¿me estás mintiendo?

—Mintiéndote, ¿yo? —Él parece dolido.

—¡No me vengas con esas! ¿Puedes decirme con la mano en el corazón que has estado haciendo tus deberes, nada más?

Frank se queda mirándola un momento. Luego niega con la cabeza y pone cara de pena.

—Vosotros, los adultos, creéis que los adolescentes mentimos. Lo dais por sentado. Ese es el punto de partida. Es increíblemente deprimente.

—Yo no doy nada por sentado… —comienza a decir mamá, pero él la interrumpe:

—¡Claro que sí! Todos hacéis lo mismo. Es muy fácil y muy obvio dar por sentado que cualquier menor de dieciocho años es un ser inferior, patológico y deshonesto y sin una pizca de integridad, pero pensar así es pura *pereza mental*. ¡Somos personas, igual que vosotros, y parece que no lo comprendéis! —De pronto asume una expresión apasionada—. Mamá, ¿no puedes, aunque solo sea por una vez, pensar que quizá tu hijo esté haciendo lo correcto? ¿No puedes, solo por una vez, creer un poco en mí? Mira, si quieres que desenchufe el ordenador y no haga los deberes de francés, por mí vale. Mañana se lo digo a la profe y ya está.

Mamá parece asombrada por el discursito de Frank. De hecho, parece bastante avergonzada.

—¡No he dicho que estuvieras mintiendo! Solo he… Mira, si estás haciendo deberes de francés, me parece bien. Sigue. Luego nos vemos.

Se va por el pasillo haciendo resonar sus tacones. Un momento después oímos cerrarse la puerta de la calle.

—Estás enfermo —le espeto sin levantar la vista de mi libro.

Frank no contesta. Está otra vez enfrascado en su partida. Paso la página y, mientras le escucho murmurar, me pregunto si me apetece ir a prepararme un chocolate caliente. Pero en ese momento se oye un golpazo en la ventana, desde fuera.

—¡FRAAAAAAANK!

Doy un brinco de metro y medio y noto que empiezo a hiperventilar. Mi madre está en la ventana, mirando hacia el interior de la habitación, y su cara parece la de un demonio monstruoso. Nunca la he visto tan furiosa.

—¡Chris! —grita ahora—. ¡VEN AQUÍ! ¡LE HE PILLADO CON LAS MANOS EN LA MASA!

¿Cómo se ha subido ahí arriba? Las ventanas del cuarto de juegos están casi a dos metros del suelo.

Miro a Frank, que esta vez sí que parece asustado. Ha cerrado el LOC, pero mamá ya lo ha visto. ¿Cómo no iba a verlo?

—Te las has cargado —le digo.

—*Mierda*. —Frunce el ceño—. No puedo creer que me haya estado espiando.

—¡Chris! —chilla mamá—. ¡Socorro! ¡Voy a...! ¡Aaaaah!

Su cara desaparece de la ventana y se oye un fuerte *crunch*.

Ay, Dios mío. ¿Qué ha pasado? Me levanto de un salto y corro a la puerta de atrás. La ventana del cuarto de juegos da al jardín, pero cuando salgo no veo a mamá por ninguna parte. Solo veo la casita de juguete de Félix colocada debajo de la ventana. Pero el tejado parece haberse roto y...

No.

Imposible.

Los pies de mamá asoman por el agujero, con los tacones de aguja todavía puestos.

Frank sale a la puerta y ve lo que estoy mirando. Se tapa la boca con la mano y le doy un codazo.

—¡Cállate! ¡A lo mejor se ha hecho daño! Mamá, ¿estás bien? —grito, acercándome a la casa de juguete.

—¡Anne! —Papá acaba de llegar al lugar de los hechos—. ¿Qué ha pasado? ¿Qué estabas haciendo?

—Estaba mirando por la ventana —dice mamá con una vocecilla ahogada—. Sácame de aquí. Estoy completamente atascada.

—Creía que subirse a la casita de juguete era un mal ejemplo para Félix, mamá —comenta Frank dulcemente, y oigo un gemido de furia.

—Serás…

Seguramente es una suerte que la voz de mamá apenas se oiga.

Papá, Frank y yo tardamos una eternidad en sacarla de la casa de juguete, y la verdad es que su humor no ha mejorado después de esto. Mientras se atusa el pelo, tiembla de rabia.

—Muy bien, jovencito —le dice a Frank, que mira sumisamente hacia el suelo—. Esto ya pasa de castaño oscuro. Estás castigado. No vas a jugar a ningún juego de ordenador en… ¿Qué opinas tú, Chris?

—En un día entero —contesta papá con firmeza al mismo tiempo que mamá dice: «Dos meses».

—¡Chris! ¿Un *día*?

—¡Bueno, qué sé yo! —responde papá a la defensiva—. No me pongas en un aprieto.

Se alejan los dos y empiezan a cuchichear mientras Frank y yo esperamos sin saber qué hacer. Podría entrar en casa, supongo, pero quiero ver cómo acaba todo esto.

Aun así, es un fastidio tener que estar aquí de plantón mientras susurran cosas como «Darle de verdad un escarmiento» o «Que aprenda de una vez».

Cuando sea madre, pensaré el castigo *primero*.

—Muy bien. —Papá se acerca por fin—. Diez días. Sin ordenador, sin teléfono, sin nada.

—¿Diez días? —Frank le lanza una de sus miradas fulminantes como un rayo de la muerte—. Eso es muy injusto.

—No, no lo es. —Mamá le tiende la mano—. El teléfono, por favor.

—Pero ¿y mis compañeros de equipo? No puedo dejarles tirados. ¿Qué hay de todo ese rollo del espíritu de equipo y el compañerismo del que siempre me hablas? ¿Qué voy a hacer ahora? ¿Dejarlos en la estacada?

—¿Qué compañeros de equipo? —Mamá parece confusa—. ¿Te refieres al equipo de *cross*?

—¡No, a mi equipo de LOC! —estalla Frank—. Estamos practicando para el torneo, te lo he dicho un millón de veces.

—¿Un torneo de *videojuegos*? —pregunta mamá con olímpico desdén.

—¡El torneo internacional de LOC! ¡El primer premio es de seis millones de dólares! ¡Por eso viene tanto Linus! ¿Qué voy a decirle?

—Dile que estás ocupado —contesta mamá enérgicamente—. De hecho preferiría que Linus dejara de venir. Creo que deberías buscarte algún amigo con miras más amplias. Además, pone nerviosa a Audrey.

—¡Linus es amigo mío! —Frank parece a punto de explotar—. ¡No puedes prohibirme traer a mis putos amigos a casa!

Vale, lo de «putos» ha sido un error. Veo que mamá se yergue como una cobra lista para atacar.

—Por favor, no digas tacos, Frank —dice en tono gélido—. Y sí que puedo. Esta es mi casa. Yo decido quién entra y quién sale. ¿Sabes que tu hermana tuvo un ataque cuando vino ese chico?

—No va a tener más ataques —replica Frank enseguida—. Audrey se está acostumbrando a Linus, ¿a que sí, Audrey?

—Es simpático —respondo débilmente.

—Ya hablaremos de eso —zanja mamá, y le lanza a Frank otra mirada heladora—. De momento, ¿puedo confiar en que sigas haciendo tus deberes y no te saques de la manga otro cable, o tengo que cancelar mi cena de cumpleaños, la que tu padre y yo llevamos todo el mes deseando y que está ya medio arruinada? —Se mira las piernas—. Mis medias sí que están arruinadas, arruinadas *del todo*.

Cuando lo dice así, te sientes muy culpable. Yo me siento culpable y no he hecho nada, así que imagino que Frank debe de sentirse aún peor. Aunque con él nunca se sabe.

—Perdón —masculla por fin, y nos quedamos mirando en silencio mientras rodean la casa para salir a la calle.

Oímos cerrarse las puertas del coche y se marchan otra vez.

—Diez días —dice Frank por fin, cerrando los ojos.

—Podrían haber sido dos meses —contesto intentando darle ánimos, y enseguida me doy cuenta de que he dicho una bobada—. Quiero decir... Perdona. Es una mierda.

—Sí.

Entramos y me voy a la cocina. Estoy poniendo la tetera para hacerme un chocolate caliente cuando oigo a Frank en la puerta.

—Oye, Audrey, *tienes* que acostumbrarte a Linus.

—Ah.

Noto que el corazón me da un brinco un poco extraño. Es ese nombre. *Linus.* Surte ese efecto sobre mí.

—Tiene que venir a casa. Necesita un sitio para entrenar.

—Pero mamá no va a dejarte jugar.

—Solo van a ser diez días. —Menea la mano con impaciencia—. Luego tendremos que echarle más horas. La fase de clasificación está a la vuelta de la esquina.

—Ya. —Me pongo unas cucharadas de chocolate en polvo en la taza.

—Así que no puedes ponerte como una loca cuando le veas. Bueno, «ponerte como una loca», no —puntualiza al ver mi cara—. Tener un ataque. O lo que sea. Sé que es una cosa muy seria. Que es una enfermedad y bla, bla, bla. Todo eso *lo sé*.

Frank ha ido un par de veces, contra su voluntad, a una sesión de terapia familiar en grupo, y la verdad es que se portó de maravilla. Me dijo algunas cosas muy bonitas. Y también habló de mí y de lo que pasó y...

En fin.

—El caso es que Linus tiene que venir a casa y no quiero que mamá se ponga pesada —sigue diciendo Frank—. Así que tienes que poder mirarle sin salir corriendo o algo así. ¿Vale?

Se hace un silencio. Vierto agua hirviendo en mi taza y veo cómo gira el cacao, pasando de insípido polvillo a delicioso chocolate caliente en cuestión de segundos. Lo único que le hace falta para transformarse es un ingrediente extra. Lo pienso cada vez que preparo chocolate caliente.

Lo cual no es bueno, por cierto. Pienso demasiado. En serio: demasiado. En eso todo el mundo está de acuerdo.

—Inténtalo, por lo menos —insiste Frank—. Porfa.

—Vale.

Me encojo de hombros y bebo un sorbo de chocolate.

MI SERENA Y ENCANTADORA FAMILIA – TRANSCRIP-
CIÓN DEL DOCUMENTAL

INT. ROSEWOOD CLOSE Nº 5. DÍA

Mamá, papá y Frank están sentados en torno a la mesa
del desayuno. Mamá está leyendo el *Daily Mail*. Papá,
mirando su BlackBerry.

La cámara enfoca a Frank. Parece malhumorado y a
punto de estallar.

> MAMÁ
> Bueno, Frank, ¿qué vas a hacer hoy
> después de clase?

Frank no contesta.

> MAMÁ
> ¿Frank?

Sigue callado.

> MAMÁ
> ¿FRANK?

Da un toque a papá con el pie. Papá mira, despistado.

> MAMÁ
> ¡CHRIS!

Señala con la cabeza a Frank. Papá se entera por fin.

PAPÁ
Frank, no seas maleducado. Vivimos
en familia. Nos comunicamos. Contesta a tu madre.

FRANK
(poniendo los ojos en blanco)
No sé qué voy a hacer después de clase. Jugar con el ordenador no, eso está
claro.

MAMÁ
Pues entonces quiero que revises tus
camisas. No sé qué les pasa. Chris, tú
también puedes revisar las tuyas.

Papá está atareado con su BlackBerry.

MAMÁ
¿CHRIS? ¿CHRIS?

Está tan absorto que no la oye.

FRANK
¿Papá? Familia, comunicarse, familia...

Pasa la mano por delante de su cara y papá mira por
fin, pestañeando.

PAPÁ
No, NO PUEDES salir esta noche. Estás
castigado, jovencito.

Mira nuestras caras de pasmo. Se da cuenta de que ha
metido la pata.

PAPÁ

Digo... Llena el lavavajillas. (Lo intenta otra vez.) Digo... Pon tu ropa sucia en el cesto correcto.

(Se da por vencido.)

Lo que te haya dicho tu madre.

La noche siguiente, Frank se presenta en la puerta del salón y me dice sin preámbulos:

—Voy a decirle a Linus que entre a saludarte.

—Vale —digo yo, intentando parecer tranquila y relajada—. De acuerdo.

¿Tranquila y relajada? Qué idiotez. Ya tengo tenso todo el cuerpo. Se me ha acelerado la respiración. La angustia se me extiende por todo el cuerpo. Estoy perdiendo el control. Oigo la voz de la doctora Sarah y procuro acordarme de su presencia tranquilizadora.

Deja que las sensaciones estén ahí.

Reconoce la existencia de tu cerebro reptiliano.

Tranquilízalo.

Mi dichoso cerebro reptiliano.

El problema del cerebro, cosa que quizá no sepáis, es que no es una simple bola de gelatina. Está dividido en partes, y algunas partes son geniales y otras son un desperdicio de espacio. En mi modesta opinión.

Yo, por ejemplo, podría pasar perfectamente sin mi cerebro reptiliano. O sin la «amígdala», como lo llaman en los libros. Cada vez que te quedas paralizado de miedo, es tu cerebro reptiliano, que ha tomado el control. Lo llaman así, «cerebro reptiliano», porque lo tenemos desde siempre, hasta cuando éramos reptiles, según dicen. Es como muy prehistórico. Y muy difícil de controlar. Bueno, todas las partes del cerebro son difíciles de controlar, es verdad, pero el cerebro reptiliano es la peor. Básicamente, le dice a tu cuerpo cómo reaccionar mediante señales químicas y eléctricas. No espera a tener pruebas, y tampoco piensa: solo tiene instintos. Tu cerebro reptiliano es *absolutamente* irracional e ilógico. Lo único que quiere es protegerte. Luchar, huir o paralizarte.

Así que me puedo decir a mí misma, aplicando la lógica, que soy capaz de hablar teniendo delante a Linus y que no va a pasar nada. Que no debo preocuparme. ¿Qué problema hay? Es una conversación. ¿Qué peligro puede haber en una conversación?

Pero el idiota de mi cerebro reptiliano empieza a gritar: «¡Alerta roja! ¡Peligro! ¡Huye! ¡Pánico! ¡Pánico!» Y sus gritos son muy fuertes y muy convincentes. Mi cuerpo tiende a escucharlo a él, no a mí. Es un rollo.

Tengo tensos todos los músculos del cuerpo. Muevo los ojos de un lado a otro, asustada. Si me vierais ahora mismo, pensaríais que hay un dragón en la habitación. Mi cerebro reptiliano se ha disparado. Y aunque yo me diga frenéticamente que no debo *hacerle caso*, es muy difícil conseguirlo cuando hay un reptil prehistórico dando porrazos dentro de tu cabeza y gritando: «¡Huye!»

—Está aquí Linus. —La voz de Frank interrumpe mis reflexiones—. Os dejo juntos.

Y antes de que me dé tiempo a escapar, ahí está Linus, en la puerta. El mismo pelo castaño, la misma sonrisa relajada. Me siento un poco irreal. Solo oigo a mi cerebro diciéndome: «No huyas, no huyas, no huyas».

—Hola —dice.

—Hola —consigo contestar.

No puedo ni pensar en ponerme de cara a él o mirarle directamente, así que me doy la vuelta enseguida y me quedo mirando hacia el rincón.

—¿Estás bien? —Avanza unos pasos y se para.

—Sí.

—Pues no lo parece —contesta.

—Sí, bueno…

Hago una pausa e intento pensar en una explicación que no incluya los términos «rara» o «loca».

—A veces genero demasiada adrenalina —digo por fin—. Es como… Bueno, un rollo. Respiro muy deprisa y esas cosas.

—Ah, vale.

Noto que asiente con la cabeza, aunque evidentemente no puedo *mirarle*, así que tampoco estoy segura.

Quedarme aquí sentada y no salir huyendo es ya de por sí como participar en un rodeo: un esfuerzo enorme. Retuerzo las manos hasta hacerlas un nudo. Tengo unas ganas inmensas de agarrarme la camiseta y empezar a hacerla tiritas, pero le prometí a la doctora Sarah que iba a dejar de destrozarme la ropa. Así que no voy a hacerlo. Aunque me sentiría muchísimo mejor, y a pesar de que tengo unas ganas terribles de esconder los dedos.

—Deberían enseñarnos estas cosas en clase de biología —comenta Linus—. Es mucho más interesante que el ciclo vital de la ameba. ¿Puedo sentarme? —añade torpemente.

—Claro.

Se sienta al borde del sofá y yo (no puedo evitarlo) me retiro.

—¿Es por lo que… pasó?

—Un poco. —Digo que sí con la cabeza—. Entonces ya lo sabes.

—Oí cosas. Ya sabes. Todo el mundo hablaba de ello.

Noto una especie de mareo. ¿Cuántas veces me ha dicho la doctora Sarah: «Audrey, no todo el mundo habla de ti»? Pues se equivoca.

—Freya Hill va al colegio de mi prima —continúa—. Con Izzy Lawton y Tasha Collins, no sé qué pasó.

Me encojo por dentro al oír esos nombres.

—La verdad es que no quiero hablar de eso.

—Ah. Vale. Como quieras. —Duda un momento y luego dice—: Así que llevas mucho las gafas de sol.

—Ajá.

Se hace un silencio y noto que está esperando que yo lo llene.

Y, la verdad, ¿por qué *no* decírselo? Si no se lo digo yo, seguramente se lo dirá Frank.

—Me cuesta mirar a los ojos a los demás —reconozco—. Hasta a mi familia. Es… No sé. Demasiado para mí.

—Vale. —Se queda pensando unos segundos—. ¿Puedes comunicarte de algún modo? ¿Escribes e-mails?

—No. —Intento que no se me escape una mueca—. Ahora mismo, no

—Pero notas sí escribes.

—Sí. Notas, sí.

Hay otro silencio y luego un trozo de papel aparece a mi lado, en el sofá. Lleva escrita una palabra:

Hola.

Sonrío y cojo un boli.

Hola.

La deslizo por el sofá. Un momento después vuelve a aparecer y empezamos a charlar en papel.

¿Esto te resulta más fácil que hablar?

Un poco.

Perdona que te haya preguntado por las gafas. He metido la pata.

No importa.

Me acuerdo de tus ojos, de antes.

¿De antes?

Una vez vine a ver a Frank. Me fijé en tus ojos. Son azules, ¿no?

No puedo creer que se fijara en el color de mis ojos.

Sí. Buena memoria.

Siento que hayas tenido que pasar por todo esto.

Yo también.

Pero no va a durar siempre. Estarás a oscuras el tiempo que haga falta y luego saldrás.

Miro lo que ha escrito, un poco sorprendida. Parece tan convencido...

¿Tú crees?

Mi tía cultiva un ruibarbo especial en cobertizos a oscuras. Los mantiene todo el invierno sin luz y con calor y los recoge a la luz de las velas, y están buenísimos. Los vende por una pasta, por cierto.

Entonces, ¿qué soy? ¿Una planta de ruibarbo?

Claro, ¿por qué no? Si el ruibarbo necesita pasar tiempo a oscuras, a lo mejor tú también.

¡¿Soy RUIBARBO?!

Hay un largo silencio. Luego el papel vuelve a aparecer, justo debajo de mi nariz. Ha dibujado un tallo de ruibarbo con gafas de sol. No puedo evitar que se me escape la risa.

—Bueno, mejor me voy. —Se levanta.

—Vale. Ha sido agradable... Ya sabes, charlar.

—Lo mismo digo. Bueno, adiós, entonces. Nos vemos pronto.

Levanto una mano manteniendo la cara tercamente apartada, a pesar de que me encantaría poder mirarle. Me digo a mí misma que tengo que volverme... pero no me vuelvo.

Hablan de «lenguaje corporal» como si todos habláramos el mismo idioma. Pero cada cual tiene su propio dialecto. En mi caso, por ejemplo, ahora mismo darle la espalda y mirar fijamente hacia el rincón significa «me caes bien». Porque no he salido corriendo a encerrarme en el cuarto de baño.

Ojalá se dé cuenta.

En nuestra siguiente cita, la doctora Sarah ve lo que llevo grabado hasta ahora y va tomando notas.

Mi madre ha venido a la cita, como hace de vez en cuando, y no para de hacer comentarios («No sé QUÉ llevaba puesto ese día»… «Doctora Sarah, por favor, no piense que siempre tenemos la cocina así de desordenada»… «Por el amor de Dios, Audrey, ¿por qué has grabado el montón del compost?»), hasta que la doctora Sarah le pide educadamente que se calle. Al final, se recuesta en su silla y me sonríe.

—Me ha gustado. Has hecho muy bien de mosca en la pared, Audrey. Ahora quiero que la mosca revolotee un poco por la habitación. Que entrevistes a tu familia. Y quizá también a gente de fuera. Que te exijas un poco más a ti misma.

Me tenso al oír lo de «gente de fuera».

—¿A qué se refiere con «gente de fuera»?

—A cualquier persona. Al lechero. A alguna de tus amigas del colegio.

Lo dice con naturalidad, como si no supiera que mis «amigas del colegio» son un tema delicado. Porque, en primer lugar, ¿a qué «amigas del colegio» se refiere? Nunca he tenido muchas amigas en el colegio, y además no he vuelto a verlas desde que dejé Stokeland.

Mi mejor amiga era Natalie. Cuando dejé el colegio, me escribió una carta y su madre me mandó flores, y sé que llaman a mamá de vez en cuando. Pero yo no puedo contestar. No puedo verla. No puedo mirarla a la cara. Y tampoco ayuda que mamá culpe en parte a Natalie de lo que pasó. O al menos que piense que es «responsable» por «no haber actuado antes». Lo cual es muy injusto. Nada de eso fue culpa de Natalie.

Bueno, sí, Natalie podría haber dicho algo. Los profesores la habrían creído a ella, antes que a mí. Pero ¿sabéis qué? Natalie estaba paralizada por el estrés. Ahora lo comprendo. De verdad, lo comprendo.

—Entonces, ¿vas a hacerlo, Audrey?

La doctora Sarah es así: te presiona hasta que aceptas hacer algo, y te lo anota como si fueran deberes, y ya no puedes fingir que no existe.

—Lo intentaré.

—¡Estupendo! Tienes que empezar a ampliar tus horizontes. Cuando sufrimos un estado de ansiedad prolongado, tenemos tendencia a obsesionarnos con nosotros mismos. No lo digo en sentido peyorativo —añade—. Es así, sencillamente. Crees que todo el mundo piensa en ti constantemente, que la gente te juzga y habla de ti sin cesar.

—Pero es que todos *habla*n de mí. —Aprovecho la ocasión para sacarla de su error—. Me lo dijo Linus. Así que…

La doctora Sarah levanta la vista de sus notas y me dedica esa mirada suya tan firme y agradable.

—¿Quién es Linus?

—Un chico. Un amigo de mi hermano.

Mira otra vez sus notas.

—¿Con el que hablaste esa otra vez? ¿Cuando lo pasaste tan mal?

—Sí. Bueno, la verdad es que es majo. Hemos hablado.

Empiezo a ponerme colorada. Si la doctora Sarah lo nota, no dice nada.

—Es un adicto a los juegos de ordenador, igual que Frank —comenta mamá—. Doctora Sarah, ¿qué voy a hacer con mi hijo? ¿Debería traerle a consulta? ¿Usted cree que es normal?

—Sugiero que hoy nos centremos en Audrey —contesta ella—. Puede consultarme sobre Frank en otra ocasión si cree que puedo ser de ayuda. Volviendo a lo que nos ocupa, Audrey... —Me sonríe, dejando a mamá con tres palmos de narices.

Noto que mamá se pone tensa, y sé que en el coche, cuando volvamos a casa, va a despotricar un poco contra la doctora Sarah. Tienen una relación extraña. Mamá la adora, como todos, pero creo que también está un poco resentida con ella. Creo que en el fondo se está preparando para el momento en que diga: «Bien, Audrey, naturalmente, todo esto es culpa de tus padres».

Cosa que la doctora Sarah no ha dicho nunca, claro. Ni dirá.

—La verdad es, Audrey —continúa la doctora Sarah—, que sí: es probable que la gente hable de ti un tiempo. Estoy segura de que mis pacientes hablan de mí, y no me cabe duda de que no siempre en buenos términos. Pero en algún momento se aburren del asunto y pasan a otra cosa. ¿Te lo puedes creer?

—No —contesto con franqueza, y ella asiente.

—Cuanto más te impliques en el mundo exterior, más fácil te resultará bajar el volumen de esas preocupaciones. Te darás cuenta de que son infundadas. Verás que el mundo es un lugar muy ajetreado y variado y que la mayoría de la gente tiene la capacidad de concentración de un mosquito. Ya se han olvidado de lo que pasó. No piensan en ello. Habrá habido cinco escándalos más desde lo que te ocurrió a ti. ¿Verdad que sí?

Me encojo de hombros desganadamente.

—Pero a ti te cuesta creerlo porque estás encerrada en tu pequeño mundo. Y por eso mismo me gustaría que empezaras a salir de casa.

—¿Qué? —Levanto la cabeza horrorizada—. ¿Adónde?

—¿A la calle principal de tu barrio?

—No, no puedo.

Se me ha acelerado la respiración solo de pensarlo, pero la doctora Sarah no se da por enterada.

—Ya hemos hablado de la terapia de exposición. Puedes empezar por una salida muy corta. Un minuto o dos. Pero tienes que ir exponiéndote poco a poco al mundo, Audrey. O corres el riesgo de quedar atrapada de verdad.

—Pero... —Trago saliva, incapaz de hablar como es debido—. Pero...

Veo puntitos negros delante de los ojos. La consulta de la doctora Sarah siempre ha sido un espacio seguro. Ahora, en cambio, tengo la sensación de que quiere arrojarme a un foso lleno de fuego.

—Esas chicas podrían estar en cualquier parte —dice mamá, agarrándome de la mano con aire protector—. ¿Y si se encuentra con alguna? Dos de ellas siguen yendo a colegios de la zona, ¿sabe? Es indignante. Deberían haberlas mandado muy lejos. Y cuando digo lejos, me refiero a *muy lejos.*

—Sé que es difícil. —La doctora Sarah me mira solo a mí—. No pretendo decir que salgas sola. Pero creo que ha llegado el momento, Audrey. Creo que puedes hacerlo. Puedes llamarlo «Proyecto Starbucks».

¿Starbucks? ¿Está *de broma?*

Se me han saltado las lágrimas. Me palpitan las venas de angustia. No puedo ir a Starbucks. *No puedo.*

—Eres una chica fuerte y valiente, Audrey —afirma ella como si me hubiera leído el pensamiento, y me pasa un pañuelo de papel—. Tienes que empezar a ponerte retos. Sí, claro que puedes.

No, no puedo.

◆ ◆ ◆

Al día siguiente me paso doce horas seguidas en la cama. Solo pensar en Starbucks ha hecho que me deslice por un túnel de terror, hasta un lugar negro y tenebroso. Hasta el aire parece herirme. Me sobresalto con cualquier ruido. No puedo abrir los ojos.

Mamá me trae sopa, se sienta en mi cama y me acaricia la mano.

—Es demasiado pronto —me dice—. Demasiado pronto. Estos médicos se dejan llevar por el entusiasmo. Saldrás cuando te llegue el momento de hacerlo.

Cuando me llegue el momento, pienso cuando se marcha. Pero ¿cuál es ese momento? ¿Cuál es el momento de Audrey? Ahora mismo, mi tiempo parece moverse como un péndulo a cámara lenta. Va adelante y atrás, adelante y atrás, pero las manecillas del reloj no avanzan. No llego a ninguna parte.

Han pasado ya tres días, las tinieblas se han levantado y estoy fuera de la cama, discutiendo con Frank.

—Eran mis cereales. Yo siempre como cereales, ya lo sabes.

—No, no es verdad —le digo para fastidiarle—. A veces comes tortitas.

Mi hermano parece estar a punto de entrar en combustión espontánea.

—Como tortitas *cuando mamá hace tortitas*. Cuando no, como cereales. Todas las mañanas desde hace cinco años. O diez. Y vas tú y te acabas el paquete.

—Come muesli.

—¿Muesli? —Pone tal cara de asco que me da la risa—. ¿Con pasas y todas esas porquerías?

—Son muy sanos.

—A ti ni siquiera te gustan los cereales —responde en tono de reproche—. ¿A que no? Solo te los has comido para fastidiarme.

—Están bien. —Me encojo de hombros—. Aunque no tan buenos como el muesli.

—Me rindo. —Apoya la cabeza en las manos—. Solo *intentas* destrozarme la vida. —Me lanza una mirada sombría—. Me gustabas más cuando estabas en la cama.

—A mí tú cuando estabas enchufado al ordenador —replico—. Molestabas mucho menos cuando no te veíamos el pelo.

—¡Frank! —Mamá irrumpe en la cocina llevando en brazos a Félix y se queda de piedra al verle derrumbado sobre la mesa—. Cariño, ¿estás bien?

—¡Cereales! —grita Félix en cuanto ve mi bol—. ¡Quiero cereales! Por favor —añade dulcemente al bajar al suelo—. Por favor, ¿puedo?

—Ten. —Le paso el bol a Félix—. Solo tenías que pedirlo amablemente —informo a Frank—. Intenta aprender de tu hermano.

Frank no mueve ni un músculo. Mamá se acerca y empieza a zarandearle.

—¿Frank? ¿Cielo? ¿Puedes oírme?

—Estoy bien. —Por fin levanta la cabeza, pálido y demacrado—. Cansado.

Ahora que me fijo, sí que es cierto que tiene ojeras.

—Creo que me he excedido un poco —dice con voz débil—. Con los deberes y todo eso.

—¿Duermes bien? —Mamá lo mira angustiada—. Los adolescentes necesitáis dormir mucho. Deberías dormir catorce horas todas las noches.

—¿*Catorce horas?* —La miramos los dos extrañados.

—Mamá, ni la gente que está en coma duerme catorce horas seguidas —responde Frank.

—Diez, entonces —se corrige ella—. O algo así. Ya lo miraré. ¿Te estás tomando las vitaminas?

Empieza a sacar atropelladamente frascos de vitaminas del armario. Vitaminas para adolescentes, para niños, para mujeres, para prevenir la osteoporosis… Parece una broma. Nunca nos las tomamos.

—Aquí tenéis. —Pone delante de Frank unas diez píldoras y otras tantas delante de mí—. Félix, tesoro, ven a tomar un poco de magnesio.

—¡No quiero *mangesio*! —chilla, y se esconde debajo de la mesa—. ¡*Mangesio*, no! —Se tapa la boca con la mano.

—Por amor de Dios. —Mamá se traga la píldora de magnesio y se rocía con una cosa llamada Revitalizador Facial, que lleva como tres años en el armario de la cocina, lo sé de buena tinta.

—Necesitas hierro —le dice a Frank—. Y acostarte temprano. Esta noche tengo prevista una película que podemos ver todos juntos, y luego derecho a la cama.

—Suena superdivertido —comenta Frank, con la mirada perdida en la distancia.

—Es un clásico —agrega mamá—. Dickens.

—Dickens. Ya. —Frank se encoge de hombros como diciendo: «¿Y eso a quién le interesa?»

—¡Por lo menos hemos conseguido desconectarte de esos dichosos juegos de ordenador! —exclama mamá con demasiada jovialidad—. Se ve que no te hace falta jugar, ¿eh? ¿A que casi no lo echas de menos?

—¿Que casi no lo echo de menos? —Frank levanta por fin los ojos y la mira—. ¿Que casi no lo echo de menos? ¿Estás de broma? ¿Que casi no lo echo de menos?

—Bueno, no estás contando los días que faltan para que…

Mamá se calla de golpe cuando Frank se sube la manga y le enseña el reloj digital que lleva en la muñeca.

—Faltan sesenta y dos horas, treinta y cuatro minutos, veintisiete segundos para que me levantéis el castigo —expone con voz monocorde—. No es que esté contando yo los días, es que los están contando todos mis amigos. Así que sí, mamá, lo he «echado de menos».

Frank puede ponerse muy sarcástico cuando quiere, y veo aparecer dos manchitas rojas en las mejillas de mamá.

—¡Pues me da igual! —estalla—. Esta noche vamos a ver todos *Grandes esperanzas*, la familia al completo, y, aunque te cueste creerlo, Frank, vas a alucinar. Vosotros os creéis que lo sabéis todo, pero Dickens es uno de los mejores narradores de todos los tiempos, y la película os va a encantar.

Cuando se marcha, Frank vuelve a dejarse caer sobre la mesa de la cocina.

—Qué suerte tienes —dice desanimado—. Contigo nadie se mete. Puedes hacer lo que te salga de las narices.

—¡Yo no puedo hacer lo que me salga de las narices! —contesto a la defensiva—. Tengo que pasarme el día haciendo el documental. Y ahora se supone que tengo que ir a Starbucks.

—¿Por qué a Starbucks?

—Yo qué sé. Será Starbucksterapia. Ni idea.

—Ya. —Parece soberanamente aburrido. Pero, luego, de repente, se incorpora—. Oye, ¿puedes decirle a tu psicóloga que seguro que te curas si vas a la Feria Europea de Videojuegos de Múnich y te llevas a tu hermano?

—No.

—Buah. —Vuelve a dejarse caer sobre la mesa.

Mamá tiene razón: tiene muy mala cara.

—Puedes comerte esto. —Le doy los restos de los cereales que no se ha comido Félix.

—Sí, claro. Cereales empapados, de tercera mano y llenos de babas de Félix. Gracias, Audrey. —Me lanza una mirada asesina.

Pero un momento después agarra una cuchara y empieza a engullirlos.

MI SERENA Y ENCANTADORA FAMILIA – TRANSCRIPCIÓN DEL DOCUMENTAL

INT. ROSEWOOD CLOSE Nº 5. DÍA

La cámara recorre el cuarto de estar. Está en penumbra. Mamá mira absorta la televisión. Papá mira disimuladamente su BlackBerry. Frank mira al techo.

De repente suena una música estruendosa procedente de la tele. La cámara enfoca la pantalla. En letras en blanco y negro se lee «The end».

MAMÁ
¡Ya está! ¿A que ha sido increíble? ¿Verdad que es una historia de lo más absorbente?

FRANK
Está bien.

MAMÁ
«¿Bien?» Cariño, era DICKENS.

FRANK
(en tono paciente)
Sí. Era Dickens y está bien.

MAMÁ
Mejor que cualquiera de esos aburridos juegos de ordenador, eso tienes que reconocerlo.

FRANK

No, qué va.

MAMÁ

Claro que sí.

FRANK

No.

MAMÁ
(estallando)
¿Me estás diciendo que esos juegos ri-
dículos pueden competir con un clásico
de Dickens? ¡Por favor! ¡Piensa en los
personajes! ¡Piensa en Magwitch!
¡Magwitch es único!

FRANK
(sin inmutarse)
Sí, en LOC también hay un Magwitch.
Solo que tiene mejor trasfondo que el
de Dickens. También es un presidiario,
pero puede ayudar a cualquier oponente.

AUDREY (VOZ EN OFF)
Transferir poderes.

FRANK

Aunque el oponente tiene que asumir
uno de sus delitos y cumplir condena...

AUDREY (V.E.O.)
Exacto. Así que tienes que elegir en
qué estructura de poder te metes y...

FRANK

¡Cállate, Aud! Se lo estoy explicando yo.
Solo que no sabes qué pena te toca hasta que la deciden. Así que es como una
apuesta, solo que, cuanto más juegas,
más fácil es intuirlo. Es alucinante.

Mamá mira a Frank y a Audrey y viceversa, completamente perpleja.

MAMÁ

Vale, no entiendo nada. Absolutamente
nada. ¿Qué estructuras de poder?
¿Qué es eso?

FRANK

Si jugaras, lo averiguarías.

AUDREY (V.E.O.)

Magwitch es un personaje impresionante.

MAMÁ

¡Exacto! Gracias.

Una breve pausa.

MAMÁ

¿El de Dickens o el de LOC?

AUDREY (V.E.O.)

El de LOC, claro.

FRANK

El de Dickens es un poquitín...

MAMÁ
(ásperamente)
¿Qué? ¿Qué tiene de malo el Magwitch
de Dickens? ¿Qué puede tener de malo
uno de los más grandes personajes li-
terarios de la historia?

FRANK
Es menos interesante.

AUDREY (V.E.O.)
Exacto.

FRANK
Bidimensional.

AUDREY (V.E.O.)
Es que no HACE nada.

FRANK
(con amabilidad)
No te lo tomes a mal. Seguro que Dickens era un tío genial.

MAMÁ
(a papá)
¿Tú les estás oyendo?

Mamá está cabreada con nosotros desde lo de Dickens. Hoy nos ha hecho limpiar nuestras habitaciones, lo que no sucede casi nunca. Ha encontrado una hamburguesa de queso en el cuarto de Frank y ha montado un pollo.

Y no me refiero a un envoltorio de hamburguesa, sino a una hamburguesa de verdad. Le dio dos mordiscos, volvió a meterla en la caja y la dejó en el suelo hace varias semanas. Estaba enterrada debajo de un montón de ropa de deporte sucia. Pero lo más raro de todo es que no se había puesto mohosa. Estaba como fosilizada. Era asqueroso.

Mamá nos ha soltado un sermón sobre ratas, bichos e higiene, pero Frank le ha saludado moviendo la mano y ha dicho:

—Tengo que irme, mamá. Linus está a punto de llegar. Y siempre nos dices que tenemos que ser amables con los invitados y salir a recibirlos. —Baja las escaleras haciendo ruido y a mí me da un vuelco el estómago.

Linus otra vez. Creía que no íbamos a verle mucho por aquí mientras Frank estuviera castigado.

Está claro que mamá pensaba lo mismo, porque ha puesto cara de sorpresa y ha gritado escalera abajo:

—Sabe que estás castigado, ¿verdad?

—Claro —ha contestado Frank con impaciencia. Y luego ha añadido al llegar a la entrada—: Pero él sí puede jugar en mi ordenador si está aquí, ¿no?

Mamá se ha quedado un poco pasmada. Ha abierto la boca, pero no le ha salido la voz. Un momento después se ha ido a su cuarto diciendo:

—¿Chris? Chris, ¿qué te parece?

Eso fue hace cosa de diez minutos. Sé que Linus está en casa porque le oí llegar hace un par de minutos. Se ha ido derecho al cuarto de juegos con Frank y me imagino que habrá puesto enseguida el LOC. Entre tanto, yo oía a papá y a mamá discutiendo en su habitación.

—¡Es una cuestión de principios! —afirmaba mamá—. ¡Tiene que aprender!

Creo que papá había optado por la línea «Son solo niños, no tiene importancia» y mamá por la línea «Las pantallas son el mal y están corrompiendo a mi hijo», pero, como no se ponían de acuerdo, al poco rato me he aburrido y he dejado de escuchar. He bajado al salón, y aquí estoy, esperando.

No, esperando no.

Bueno, un poco sí.

Pongo un episodio antiguo de *Cómo conocí a vuestra madre* e intento no calcular cuánto dura una partida de LOC y si Linus vendrá a saludarme cuando acabe. Con solo pensar en él noto un hormigueo. Un hormigueo bueno. Creo.

Bueno, no es que *tenga* que venir a saludarme. Seguramente no le apetece nada. ¿Por qué va a apetecerle?

Claro que dijo: «Nos vemos pronto». ¿Y por qué iba a decir «nos vemos pronto» si pensara ignorarme el resto de mi vida?

Me estoy retorciendo las manos e intento no hacerlo. No va a venir. Ha venido a ver a Frank, no a mí. Tengo que dejar de pensar en esto. Subo el volumen de *Cómo conocí a vuestra madre* y me pongo a hojear un número de *Closer*, de propina, cuando Félix se abalanza corriendo hacia el sofá.

—¡Este papel de bolsillo es *para ti*! —exclama, y me lanza un folio.

Hola, Ruibarbo.

Ha dibujado otra vez un ruibarbo con gafas de sol, y noto que se me estira la boca en una sonrisa.

Hola, Gajo de Naranja.

Dibujo fatal, pero de algún modo me las arreglo para dibujar su cara con pelo y un gajo de naranja en lugar de boca. Mando a Félix corriendo a llevársela y espero.

Un momento después oigo bajar a mis padres por la escalera y una especie de bronca procedente del cuarto de juegos.

—¡Eso NO ES RAZONABLE! —La voz de Frank resuena de pronto en toda la casa.

—¡POR FAVOR, NO ME GRITES DELANTE DE TUS AMIGOS! —chilla mamá.

Me tapo instintivamente los oídos y me estoy preguntando si me escapo o no a mi habitación cuando oigo un ruido en la puerta. Levanto la vista… y es él. Es Linus.

Antes de que me dé cuenta de lo que hago, retrocedo hasta el rincón del fondo del sofá.

El muy cretino de mi cerebro reptiliano.

Me quedó mirando fijamente la pared y masculló:

—Hola.

—Hola, Ruibarbo. ¿Qué es eso del gajo de naranja?

—Ah. —No puedo evitar esbozar una sonrisita y aflojar un poquitín los puños—. Tu sonrisa me recuerda a un gajo de naranja.

—Mi madre dice que es como una media luna.

—Ahí lo tienes, entonces.

Entra un poco en la habitación. No miro hacia allá, pero tengo el radar funcionando a tope. Cuando pasas la mayor parte del tiempo dando la espalda a la gente, acabas sabiendo qué hacen sin necesidad de verlo.

—Entonces… ¿no estás jugando? —Me sale la voz un poco ronca.

—Tu madre me lo ha prohibido. Se ha enfadado un poco. Frank me estaba ayudando a jugar, y ella ha empezado a decir que estaba castigado y que eso incluía que no podía sentarse con sus amigos delante del ordenador ni decirles lo que tenían que hacer.

—Ya. —Asiento con la cabeza—. Me hago una idea. ¿Tus padres también se estresan tanto con los videojuegos?

—No, qué va —contesta—. Se estresan más con mi abuela. Vive con nosotros y está loca. Quiero decir que…

Se para de pronto y se hace un tenso silencio. Tardo unos tres segundos en darme cuenta del porqué.

Eso es lo que piensa de mí, me digo de golpe, como si me dieran un mazazo. Y luego, *¡Claro!*

El silencio se vuelve cada vez peor. Noto que la palabra «loca» flota en el aire como las palabras del vocabulario de francés de mi hermano.

Loca.

Fou.

Lo aprendí en francés, antes de dejar de ir a clase. *Folie.* También quiere decir «locura», ¿no? Solo que suena más chic. Como a «loca con camiseta de rayas bretona y labios pintados de rojo».

—Lo siento —dice Linus.

—No hace falta que te disculpes —respondo casi con agresividad—. No has dicho nada.

Lo cual es cierto. No ha dicho nada. Se ha parado en mitad de la frase.

Solo que pararse en mitad de una frase es lo peor que puede hacer la gente. Es totalmente pasivo-agresivo, porque no puedes discrepar de lo que han dicho, sino de lo que *crees que iban a decir*.

Y que ellos niegan inmediatamente.

La Reina de la Frase dejada a medias es mi madre. Es toda una experta. Algunos ejemplos recientes, sin ningún orden concreto:

1.

MAMÁ: Pues la verdad es que creo que tu presunta amiga Natalie podría haber…

Deja la frase a medias.

YO: ¿Qué? ¿Que podría haber impedido lo que pasó? Entonces, ¿es culpa suya? ¿Podemos echarle toda la culpa a Natalie Dexter?

MAMÁ: No exageres, Audrey. No iba a *decir* eso.

2.

MAMÁ: Te he comprado un limpiador facial. Mira, es específico para pieles adolescentes.

YO (leyendo la etiqueta): Para pieles con problemas de acné. ¿Crees que tengo problemas de acné?

MAMÁ: Claro que no, cielo. Pero tienes que reconocer que a veces tienes la piel un poco...

Deja la frase a medias.

YO: ¿Cómo? ¿Sucia? ¿Asquerosa? ¿Crees que debería ir por ahí con una bolsa en la cabeza?

MAMÁ: No exageres, Audrey. No iba a *decir* eso.

Total, que estoy muy sensibilizada con las frases dejadas a medias. Y Linus se ha parado en plena frase, y estoy segura de lo que iba a decir. Iba a decir: *Está loca, igual que tú.*

Le doy asco. Lo sabía. Solo ha venido porque soy una especie de espectáculo, como un monstruo de feria. ¡Pasen y vean! ¡La chica de las gafas de sol! ¡Véanla acurrucada en el rincón!

El silencio sigue y sigue, y alguien tiene que romperlo, así que digo con aspereza:

—No pasa nada. Estoy loca. Es igual.

—¡No!

Linus parece muy sorprendido. Sorprendido, avergonzado, incómodo. Y también un poco humillado. Como si no pudiera creer que yo haya dicho eso. (Como veis, todo esto lo deduzco de una sola sílaba.)

—Tú no te pareces en nada a mi abuela —añade, y suelta una risita como si se estuviera acordando de algo divertido—. Si la conocieras, lo entenderías.

Tiene una voz suave. No como la de Frank, que casi siempre suena áspera y ronca como el ruido de un ariete. Se ríe otra vez y yo noto como si estuviera a punto de desmayarme de alivio. Si se ríe es que no le doy asco, ¿no?

—Bueno, supongo que no volveré a venir hasta que le levanten el castigo a Frank.

—Claro.

—Tu madre piensa que soy una mala influencia.

—Para mi madre *todo* es una mala influencia. —Pongo cara de fastidio, aunque Linus no pueda verla.

—Entonces, ¿no sales nunca, ni nada?

No se ha parado en medio de la frase, pero aun así el aire chisporrotea un poco. Por lo menos, a mi alrededor. *No sales, ni nada.* Siento el impulso de hacerme un ovillo y cerrar los ojos.

—No. La verdad es que no.

—Ya, claro.

—Bueno, se supone que tengo que ir a Starbucks.

—Mola. ¿Cuándo vas a ir?

Otro silencio. Me encojo un poco más. Noto cómo flotan sus preguntas alrededor del silencio como si fueran palabras de un listado de vocabulario: ¿por qué? ¿Cómo es que…? ¿Qué *ocurre?*

—Se supone que tengo que hacer una especie de terapia de exposición —digo atropelladamente—. Salir un poquito cada vez. Pero lo de ir a Starbucks no es un poquito. Es un mogollón. Y no puedo. Así que…

Con cada cosa que le cuento, espero que se marche. Pero no se marcha: sigue ahí.

—Es como una alergia —comenta como si fuera un tema apasionante—. Como si fueras alérgica a Starbucks.

—Imagino que sí.

Esta conversación está empezando a dejarme el cerebro agotado. Agarro un cojín para tranquilizarme. Se me notan todos los tendones de las manos.

—Entonces, eres alérgica al contacto visual.

—Soy alérgica a todo tipo de contacto.

—No, qué va —contesta enseguida—. Al contacto *intelectual*, no. Porque escribes notas. Y hablas. Sigues queriendo hablar con la gente, solo que no puedes. Así que tu cuerpo tiene que sincronizarse con tu cerebro.

Me quedo callada unos segundos. Es la primera vez que alguien lo expresa así.

—Supongo que tienes razón —digo por fin.

—¿Qué hay del contacto de pies?

—¿Qué?

—¡El contacto de pies!

—¿Qué es el contacto de *pies*?

Me reiría, pero el idiota de mi cerebro reptiliano tiene desconectado el botón de la risa, de momento. Estoy demasiado rígida de tensión.

Me estoy perdiendo tantas risas… A veces me hago ilusiones de estar acumulando una buena provisión de risas perdidas que, cuando me recupere, saldrán todas en un estallido y me dará un enorme ataque de risa que me durará veinticuatro horas seguidas.

Mientras tanto, Linus se ha sentado en el otro extremo del sofá. Veo con el rabillo del ojo que estira el pie, calzado con una deportiva mugrienta.

—Vamos —dice—. Contacto de pies. Venga.

No puedo moverme. Soy un erizo hecho una bola. No quiero saber nada.

—Puedes mover el pie —insiste—. No hace falta que mires. Solo tienes que moverlo.

Parece empeñado en que lo haga. No puedo creerme que esté pasando esto. A mi cerebro reptiliano no le está gustando ni un pelo. Me dice que me meta debajo de la manta. Que me esconda. Que huya. Cualquier cosa.

A lo mejor, si me quedo quieta, me digo, *se cansará y podremos olvidarnos de todo esto.*

Pero pasan los segundos y no se marcha.

—Vamos —dice en tono animoso—. Seguro que puedes hacerlo.

Ahora oigo la voz de la doctora Sarah dentro de mi cabeza: *Tienes que empezar a ponerte retos.*

Poco a poco, muevo el pie por la alfombra hasta que el borde de goma de mi deportiva toca el borde de goma de la suya. Sigo sin volver el resto del cuerpo y miro fijamente la tela del sofá, con todo el cerebro concentrado en el centímetro de pie que está en contacto con el de Linus.

Vale, sé que hay como dos capas de goma entre nosotros, que esto no podría ser menos erótico, o romántico, o lo que sea, y que sigo dándole la espalda como si no soportara mirarlo, pero aun así siento como si...

En fin...

¿Veis cómo me he parado en mitad de la frase? Yo también puedo hacerlo. Cuando no quiero revelar *exactamente* lo que estoy pensando.

Lo único que estoy dispuesta a reconocer es que me falta un poco la respiración.

—Ya está. —Parece satisfecho—. ¿Lo ves?

A él no parece faltarle la respiración. Solo parece interesado, como si acabara de demostrarle algo que ahora podrá contarles a sus amigos o publicar en su blog o algo así. Se levanta de un salto y dice:

—Bueno, nos vemos otro día.

Y se rompe el hechizo.

—Sí, claro. Hasta otro día.

—Tu madre me va a echar dentro de un momento. Será mejor que me vaya.

—Eh... Sí.

Me encorvo de cara a la esquina del sofá, decidida a que no vea cuánto me gustaría que se quedara.

—Esto... Eh... —balbuceo cuando llega a la puerta—. A lo mejor puedo entrevistarte para mi documental.

—¿Ah, sí? —Se queda callado un momento—. ¿Qué documental?

—Tengo que grabar un documental y se supone que tengo que entrevistar a gente que venga a casa, así que...

—Vale. Genial. Cuando quieras. Volveré cuando... Ya sabes. Cuando Frank pueda volver a jugar.

—Genial.

Desaparece y me quedo inmóvil un rato, preguntándome si va a volver o a mandarme más notas, o un mensaje a través de Frank, o algo así.

Pero no lo hace, claro.

MI SERENA Y ENCANTADORA FAMILIA – TRANSCRIPCIÓN DEL DOCUMENTAL

INT. ROSEWOOD CLOSE Nº 5. DÍA

La cámara se acerca a la puerta del despacho. Entra despacio. Papá está sentado delante de su mesa. Tiene los ojos cerrados. En el monitor hay otro Alfa Romeo.

> AUDREY (VOZ EN OFF)
> ¿Papá? ¿Estás dormido?

Da un brinco y abre los ojos.

> PAPÁ
> Claro que no. Estaba trabajando. Adelantando un poco de trabajo.

Mueve el ratón y el Alfa Romeo desaparece de la pantalla.

> AUDREY (V.E.O.)
> Se supone que tengo que entrevistarte.

> PAPÁ
> ¡Estupendo! Dispara.

Gira su silla para mirar a cámara y pone una sonrisa falsa.

> PAPÁ
> Vida y milagros de Chris Turner, contable de las estrellas.

AUDREY (V.E.O.)
No, qué va.

Papá se pone a la defensiva.

PAPÁ
Está bien. Contable de varias empresas de tamaño medio, una de ellas del mundo del espectáculo. Me regalan entradas gratis para conciertos.

AUDREY (V.E.O.)
Lo sé.

PAPÁ
Y también conocisteis a los actores de esa serie, ¿te acuerdas? En la fiesta benéfica para niños necesitados.

AUDREY (V.E.O.)
No pasa nada, papá, a mí tu trabajo me parece genial.

PAPÁ
Podrías preguntarme por mis tiempos de remero en la universidad.

Saca bíceps como quien no quiere la cosa.

PAPÁ
Todavía estoy fuerte. O podrías preguntarme por mi grupo de música.

AUDREY (V.E.O.)
Claro. Sí. ¿Los... Turtles?

PAPÁ

Los Moonlit, los Moonlit Turtles. Te
regalé el disco, ¿te acuerdas?

AUDREY (V.E.O.)

¡SÍ! Es genial, papá.

De pronto se le ocurre una idea. Señala a cámara, casi
mudo de emoción.

PAPÁ

¡Ya lo tengo! ¿Quieres que tu documental tenga banda sonora? Podría hacér-
tela yo, gratis. Música original, inter-
pretada por los Moonlit Turtles, ¡uno
de los grupos amateurs más alucinantes de los noventa!

AUDREY (V.E.O.)

Ya.

(pausa)

O también podría elegir la música yo...

PAPÁ

¡No! Cariño, quiero AYUDARTE. Así
podemos trabajar juntos. Como si fuera un proyecto familiar. ¡Será divertido! Yo compro el programa, los insta-
lamos juntos y tú eliges tus canciones
favoritas...

Abre una lista de reproducción en su ordenador.

PAPÁ
Vamos a escuchar algo ahora mismo.
Dime cuál es tu canción favorita. La
ponemos y escuchamos un poco de música.

AUDREY (V.E.O.)
¿Mi canción favorita de todos los tiempos?

PAPÁ
¡No! Tu canción favorita de los Moonlit
Turtles. Tu canción favorita de las que
interpreta tu viejo. Tendrás alguna,
¿no? Una preferida.

Una larga pausa. Papá mira a cámara, expectante.

PAPÁ
Me dijiste que escuchabas el disco sin
parar en tu iPod.

AUDREY (V.E.O.)
(atropelladamente)
¡Y es verdad! Sin parar. Así... Umm...
Mi canción favorita. Hay tantas...
(pausa)
Creo que sería... esa tan ruidosa.

PAPÁ
¿Esa tan ruidosa?

AUDREY (V.E.O.)
La de la... eh... batería. Es buenísima.

La cámara empieza a retroceder al mismo tiempo que un estruendoso tema heavy metal resuena en la habitación. Papá se pone a mover la cabeza al ritmo de la música.

                          PAPÁ
          ¿Esta?

                          AUDREY (V.E.O.)
          ¡Sí! ¡Exacto! Es genial. Buenísima.
          Papá, tengo que irme...

La cámara sale de la habitación.

                          AUDREY (V.E.O.)
          Ay, Dios.

Esa noche, cuando me acuesto, me pongo a pensar en Linus. Intento imaginarme a mí misma abriéndole la puerta la próxima vez que venga. Como hacen otras personas. La gente normal. El diálogo sería más o menos este:

—Hola, Linus.

—Hola, Audrey.

—¿Qué tal?

—Bien.

Quizá chocaríamos las manos. O nos daríamos un abrazo. Y desde luego sonreiríamos los dos.

Se me ocurren unas sesenta y cinco razones por las que esta escena no va a suceder en un futuro inmediato. Pero podría suceder, ¿no? *Podría.*

La doctora Sarah dice que la visualización positiva es un arma increíblemente eficaz de nuestro arsenal y que debería imaginar situaciones óptimas que sean realistas y alentadoras.

El problema es que no sé si mi fantasía es muy realista.

Bueno, sí que lo sé: no lo es nada en absoluto.

En una situación ideal, yo no tendría cerebro reptiliano. Todo sería fácil. Podría comunicarme como la gente normal. Tendría el pelo más largo y llevaría una ropa más guay, y en la última escena que he imaginado Linus ni siquiera estaba en la puerta de mi casa, sino que me llevaba de picnic al bosque. No sé de dónde me he sacado *esa* idea.

En fin… El castigo acaba mañana. Linus volverá a venir. Y ya veremos.

Claro que no contaba con la llegada del Apocalipsis, que se abatió sobre nuestra casa a las 3:43 de la mañana. Lo sé porque fue a esa hora cuando me desperté y miré medio dormida el reloj, preguntándome si habría un incendio. Oía a lo lejos un ruido agudo y chillón que podía haber sido una alarma o una sirena. Cogí la bata que había dejado tirada en el suelo, metí los pies en mis zapatillas peludas y pensé horrorizada: «¿Qué me llevo?»

Cogí mi viejo osito de peluche rosa y mi foto con la abuela antes de que se muriera, y estaba bajando las escaleras cuando me di cuenta de que aquel ruido no era una sirena. Ni tampoco una alarma. Era mamá. Estaba en el cuarto de juegos, chillando:

—¿Qué estás HACIENDO?

Me acerqué a la puerta sin hacer ruido y noté una flojera de asombro en todo el cuerpo. Frank estaba sentado delante de su ordenador, jugando a LOC. A las 3:43 de la madrugada.

Bueno, en ese momento no estaba jugando, claro. Se había parado. Pero los gráficos estaban allí, en el monitor, tenía los auriculares puestos y miraba a mamá como un zorro acorralado.

—¿Qué estás HACIENDO? —chilló mamá otra vez, y se volvió hacia papá, que también acababa de llegar a la puerta—. ¿Qué está HACIENDO? ¿Qué estás HACIENDO, Frank?

Los padres suelen hacer preguntas tontas y evidentes, tienen esa manía.

¿Vas a *ir por la calle con esa falda?*

No, pensaba quitármela en cuanto salga por la puerta.

¿Te parece buena idea?

No, me parece una idea pésima, por eso lo hago.

¿Me estás escuchando?

Me estás hablando a un volumen de cien decibelios, ¿cómo no voy a escucharte?

—¿Qué estás HACIENDO? —Mamá seguía chillando y papá le puso una mano en el brazo.

—Anne —dijo—. Anne, tengo una cita a las ocho.

Craso error. Mamá le miró como si el gamberro fuera él.

—¡Me importa un pimiento tu cita de las ocho! ¡Se trata de tu *hijo*, Chris! ¡Nos ha estado mintiendo! ¡Se pone a jugar por las noches! ¿Qué estaba haciendo, si no?

—No podía dormir —se excusó Frank—. ¿Vale? Solo es eso. No podía dormir y he pensado «voy a leer un libro», pero no encontraba ninguno, así que se me ha ocurrido... Ya sabes. Relajarme un poco.

—¿Cuánto tiempo llevas levantado? —le soltó mamá.

—¿Desde las dos, más o menos? —Frank la miró compungido—. No podía dormir. Creo que tengo insomnio.

Papá bostezó y mamá le miró con furia.

—Anne —intervino él—, ¿podemos hablar de esto por la mañana? El insomnio de Frank no va a mejorar si nos ponemos a discutir ahora. Por favor, ¿nos vamos a la cama? —Bostezó otra vez, con el pelo rojo revuelto, como el de un oso de peluche—. ¿Por favor?

◆ ◆ ◆

Pues eso fue anoche. Y hoy las cosas no han mejorado mucho. Mamá le hizo a Frank el tercer grado a la hora de desayunar: que cuántas veces se había levantado en plena noche para jugar a LOC, que desde cuándo tenía insomnio y que si era consciente de que los juegos de ordenador *producen* insomnio.

Frank casi ni contestaba. Estaba bastante pálido, demacrado y como ausente. Cuanto más le hablaba de ritmos circadianos, de polución lumínica y de por qué no se tomaba un cacao

Ovaltine antes de irse a la cama, más se replegaba él en su caparazón.

Ni siquiera sé qué es el cacao Ovaltine. Mamá siempre lo saca a relucir cuando habla del insomnio, como si fuera una poción mágica. Dice: «¿Por qué no lo tomamos?», pero nunca lo compra, así que ¿cómo vamos a tomarlo?

Luego Frank se fue a clase y yo me pasé toda la mañana leyendo *Juego de tronos* y después me quedé dormida. Esta tarde he estado grabando a unos pájaros del jardín y, aunque tengo la sensación de que no es eso lo que quiere la doctora Sarah, es muy tranquilizador. Son tan monos… Vienen a comerse las miguitas del comedero y se pelean entre sí. A lo mejor me hago fotógrafa de naturaleza o directora de documentales, o algo así. La única pega es que empiezan a dolerte las rodillas de estar agachada. Además, no sé quién va a ver una hora de película de unos pájaros comiendo miguitas.

Total, que estoy un poco en las nubes y me sobresalto cuando oigo pararse un coche delante de casa. Es muy pronto para que sea papá, así que ¿quién es? Puede que alguien haya traído a Frank en coche del colegio. A veces pasa.

Quizá sea Linus.

Rodeo la casa con mucha cautela y me asomo a la esquina. Sorprendentemente, es papá. Está saliendo del coche con su traje de la oficina, un poco desastrado. Enseguida se abre la puerta principal y sale mamá como si le estuviera esperando.

—¡Chris! ¡Por fin!

—He venido en cuanto he podido escaparme, pero ya sabes que ahora mismo tengo mucho lío… ¿De verdad crees que es imprescindible?

—¡Sí, claro que lo es! Es una crisis, Chris. Una crisis que afecta a nuestro hijo. Y necesito tu apoyo.

Ay, Dios mío. ¿Qué ha pasado?

Retrocedo silenciosamente hacia el jardín y entro en la cocina, desde donde les oigo hablar. Avanzo sin hacer ruido y los veo entrar en casa.

—Me he llevado el ordenador de Frank a mi clase de pilates —está diciendo mamá, muy seria.

—¿Qué? —Papá parece estupefacto—. Anne, sé que quieres que Frank no lo toque, pero ¿no te parece un poco drástico?

Me imagino a mamá entrando a trompicones en el atrio de la iglesia cargada con el ordenador de Frank, y tengo que taparme la boca con la mano para que no se me escape la risa. ¿Es que ahora piensa llevarse el ordenador de Frank a todas partes, como si fuera una mascota?

—¡No me entiendes! —le espeta mamá—. Se lo he llevado a Arjun para que le eche un vistazo.

—¿A Arjun? —Papá parece más perplejo que nunca.

—Arjun viene conmigo a pilates. Es desarrollador de software y trabaja desde casa. Le he dicho: «Arjun, ¿puedes decirme viendo este ordenador cuánto tiempo pasó mi hijo jugando a videojuegos la semana pasada?»

—Ya. —Papá la mira cansinamente—. ¿Y qué te ha dicho Arjun?

—Que sí, que podía decírmelo —contesta mamá en tono agorero—. Ya lo creo que podía decírmelo.

Se hace un silencio. Veo que papá retrocede instintivamente, pero no puede escapar antes de que la marea de sonido se abata sobre él.

—¡Todas las noches! ¡TODAS LAS NOCHES! Empieza a las dos y está conectado hasta las seis. ¿Te lo puedes creer?

—Estás de broma. —Papá parece sinceramente impresionado—. ¿Estás segura?

—Pregúntale a Arjun. —Mamá saca su teléfono—. ¡Pregúntaselo! Trabaja de free lance para Google. Sabe muy bien de lo que habla.

—Ya. No, está bien, no necesito hablar con Arjun. —Papá se sienta en los escalones—. Dios mío. ¿Todas las noches?

—Anda por ahí a hurtadillas. Nos miente. ¡Es un adicto! Lo sabía. Lo *sabía*.

—Vale, muy bien, entonces… Castigado de por vida.

—De por vida. —Mamá dice que sí con la cabeza.

—Hasta que sea adulto.

—Como mínimo —añade ella—. Como mínimo. ¿Sabes?, Alison, la de mi club de lectura, ni siquiera tiene tele en casa. Dice que las pantallas son el tabaco de nuestra época. Que son tóxicas y que, cuando nos percatemos del daño que hacen, ya será demasiado tarde.

—Ya. —Papá parece intranquilo—. No estoy seguro de que tengamos que llegar tan lejos, ¿no?

—¡Pues quizá sí! —exclama mamá, angustiada—. ¿Te das cuenta, Chris, de que quizá lo estemos haciendo todo mal? Quizá deberíamos volver a lo más básico. A los juegos de cartas, a los paseos en familia, a los debates…

—Eh… Vale.

—Porque, por ejemplo, ¡los libros! ¿Qué ha pasado con los libros? ¡Eso es lo que deberíamos estar haciendo! ¡Leer a los finalistas del Premio Booker! No ver toda esa televisión tóxica y absurda y jugar a videojuegos que le sorben a uno el seso. ¿Qué estamos haciendo, Chris? ¿Qué estamos *haciendo*?

—Tienes mucha razón. —Papá asiente fervorosamente—. En serio, estoy totalmente de acuerdo. Totalmente de acuerdo. —Hace una breve pausa antes de añadir—: Pero ¿qué hay de *Downtown Abbey*?

—Ah, bueno, *Downtown Abbey*… —Mamá parece dudar—. Eso es distinto. Es… ya sabes. Historia.

—¿Y *The Killing*?

Mis padres son adictos a *The Killing*. Se tragan, no sé, cuatro episodios seguidos y luego dicen: «¿Uno más? ¿Solo uno más?»

—Estoy hablando de los *niños* —contesta mamá por fin—. Me refiero a la *próxima generación*. Deberían estar leyendo libros.

—Ah, vale. —Papá exhala, aliviado—. Porque, al margen de todo lo demás, yo pienso acabar de ver *The Killing*.

—¿Bromeas? Claro que tenemos que acabar de ver *The Killing* —responde mamá—. Podríamos ver uno esta noche.

—O dos.

—Después de hablar con Frank.

—Ah, Dios. —Papá se rasca la cabeza—. Necesito una copa.

◆ ◆ ◆

Después de eso, la casa está un rato en silencio. Es la calma que precede a la bronca. Félix vuelve de casa de un amigo donde han estado haciendo pizza y nos enseña un engrudo asqueroso embadurnado de tomate y queso. Le pide a mamá que lo caliente en el horno y luego se niega a comérselo.

Después se niega a comer otra cosa porque quiere comerse la pizza que ha hecho, *aunque no va a comérsela*. Ya lo sé: la lógica de un niño de cuatro años es rarísima.

—¡Yo quiero comerme MI pizza! —gimotea.

Mamá contesta:

—¡Pues entonces cómetela! Aquí la tienes.

—¡Nooo! —La mira lloroso—. ¡Nooo! ¡Esa no! ¡ESA no!

Al final la tira de la mesa y, al verla desparramada por el suelo, pierde los nervios. Se pone a llorar como un histérico y mamá dice en tono sombrío:

—Seguro que le han dado algún refresco azucarado.

Y se lleva a Félix a darle un baño. (Media hora después, está todo limpio y esponjoso, sonriendo y comiendo sándwiches. Los baños son como el Valium para los niños de cuatros años.)

Luego me encargan que vigile a Félix para que se coma la corteza del pan, así que tengo que quedarme encerrada en la cocina. Había pensado en esperar a Frank para advertirle. Pero seguramente no habría dado resultado, porque mamá es como un centinela espídico: cada cinco minutos entra en el vestíbulo y abre la puerta de la calle. Hasta ha salido a la calle una vez y ha oteado el horizonte por todos lados, como si Frank fuera a engañarla viniendo por un sitio distinto. Está deseando tenerle a tiro. Se mira al espejo del vestíbulo y dice cosas como: «Es el *engaño*, sobre todo», o «Sí, esto es *por tu bien*. Es *por tu bien*, jovencito».

Jovencito.

Yo, entre tanto, procuro mantener la cabeza agachada aunque me muero de ganas de preguntarle a Frank si de verdad se ha estado levantando a las dos de la mañana y si Linus estaba jugando con él. Me estoy comiendo a escondidas un par de cortecitas de Félix para acelerar las cosas cuando oigo chillar a mamá. Está fuera, a la entrada de la casa, oteando la calle.

—¡Chris! ¡Chris! ¡Ya viene! —Entra con paso firme y vuelve la cabeza hacia todos los lados, en alerta máxima—. ¿Dónde está tu padre? ¿Dónde se ha metido?

—No sé. No le he visto.

Vale, mamá está que se sube por las paredes. Me pregunto si debo decirle que respire hondo contando hasta cuatro y que exhale contando hasta siete, pero creo que me arrancaría la cabeza de un mordisco.

—¡Chris! —Sale de la cocina.

Yo avanzo sigilosamente para ver el vestíbulo. Debería ir a buscar mi cámara de vídeo, pero está arriba y no quiero aventurarme a cruzar el campo de batalla. Papá aparece en la puerta de su despacho con su BlackBerry pegada a la oreja, y le hace a mamá una mueca angustiada.

—Sí, las cifras han sido muy inesperadas —dice—. Pero si mira la página seis… *Lo siento* —le dice a mamá moviendo la boca sin emitir sonido—. *Dos minutos.*

—¡Genial! —estalla ella cuando papá vuelve a desaparecer—. Y tú que querías presentar un frente unido… —Mira por la ventana del vestíbulo—. Muy bien. Aquí viene. Vamos allá.

Se coloca en el vestíbulo con una mano apoyada en la cadera y los ojos fijos en la puerta, echando chispas. Después de diez segundos de tensión, se abre la puerta y yo contengo la respiración. Entra Frank con el mismo aire de siempre y la mira sin mucho interés. Noto que mamá se yergue y respira hondo.

—Hola, Frank —saluda en un tono tan gélido que me dan escalofríos aunque no soy yo la que está en apuros.

Pero Frank lleva puestos los auriculares, así que imagino que no se ha enterado.

—Hola —responde, y va a pasar a su lado, pero mamá le clava un dedo en el hombro.

—¡Frank! —grita, y señala sus orejas—. ¡Fuera!

Él pone cara de fastidio, se quita los auriculares y la mira.

—¿Qué?

—Y bien —contesta ella en tono aún más gélido.

—¿Qué?

—*Y bien.*

Noto que pretende que Frank tiemble de miedo con solo oír esas dos palabras, pero no da resultado. Mi hermano únicamente pone cara de impaciencia.

—¿Cómo que «y bien»? ¿Qué quieres decir? «Y bien» ¿qué?

—Te estábamos esperando, Frank. Papá y yo. —Da un paso adelante. Sus ojos son como rayos láser—. Llevamos *mucho rato* esperándote.

Ay, Dios. Está interpretando a un supervillano de James Bond. Me apuesto algo a que le encantaría tener un gato blanco al que acariciar.

—¿Qué hace aquí mi ordenador?

Frank se fija en él de repente. Está colocado encima de la mesa de la entrada, con los cables enrollados.

—Buena pregunta —comenta mamá amablemente—. ¿Te importaría decirnos cuánto tiempo pasaste jugando con el ordenador la semana pasada?

Frank baja los hombros como diciendo, *Otra vez no.*

—Estuve jugando a LOC —reconoce con voz monocorde—. Y me pillasteis.

—¿Solo jugaste esa vez?

Frank deja que su mochila se deslice hasta el suelo.

—No sé. Me duele la cabeza. Necesito un paracetamol.

—¿Por qué será? —Mamá pierde de repente los nervios—. ¿Será quizá porque no has dormido nada esta semana?

—¿Qué? —Él pone su típica cara de «no tengo ni idea de qué me estás hablando», que, la verdad, resulta muy exasperante.

—¡No te hagas el tonto conmigo! ¡Ni se te ocurra hacerte el tonto! —Mamá respira muy fuerte—. Mi amigo Arjun ha echado un vistazo a tu ordenador. Y ha descubierto algo *muy* interesante.

Frank frunce el ceño.

—¿Quién es Arjun?

—Un experto en ordenadores —responde mamá en tono triunfal—. Me lo ha contado todo. Has dejado muchas pistas, jovencito. Lo sabemos todo.

Veo que un destello de alarma cruza el rostro de Frank.

—¿Ha leído mis e-mails?

—No, no ha leído tus e-mails. —Mamá parece distraerse un momento—. ¿Qué hay en tus e-mails?

—Nada —contesta Frank a toda prisa, y la mira con enfado—. Dios mío, no puedo creer que hayas hackeado mi ordenador.

—¡Y yo no puedo creer que nos hayas estado mintiendo! ¡Esta semana te has levantado todas las noches a las dos de la mañana! ¿Acaso vas a negarlo?

Frank se encoge de hombros, malhumorado.

—¿Frank?

—Si lo dice *Arjun*, será verdad.

—¡Así que *es* cierto! Frank, ¿te das cuenta de lo grave que es esto? ¿Te das cuenta? ¿TE DAS CUENTA? —chilla de repente.

—¿Y tú te das cuenta de lo importante que es para mí jugar a LOC? —replica él a gritos—. ¿Y si me convierto en *gamer* profesional? ¿Qué dirás entonces?

—Otra vez no, por favor. —Mamá cierra los ojos y se masajea la frente—. ¿Con quién estabas jugando? ¿Les conozco? ¿Tengo que llamar a sus padres?

—No creo —contesta Frank sarcásticamente—, porque viven en Corea.

—¿En *Corea*? —A mamá esto le parece la gota que colma el vaso—. Muy bien. Se acabó, Frank. Estás castigado. Castigado, castigado, castigado para siempre. Sin ordenadores. Sin pantallas. Sin nada de nada.

—Vale —dice Frank desganadamente.

—¿Me has entendido bien? —Le mira con dureza—. Estás castigado.

—Ya lo he pillado. Estoy castigado.

Se hace un silencio. Mamá parece insatisfecha. Le mira como queriendo que le diga algo más.

—Estás castigado —dice, intentándolo otra vez—. Para siempre.

—Lo sé —responde él con estudiada paciencia—. Ya me lo has dicho.

—No estás reaccionando. ¿Por qué no reaccionas?

—*Estoy* reaccionando, mamá. Estoy castigado. Ya está.

—Voy a guardar bajo llave este ordenador ahora mismo.

—Muy bien.

Hay otro tenso y extraño silencio. Mamá le mira atentamente, como si buscara una respuesta. Luego, de repente, parece contraer toda la cara y respira hondo.

—Ay, Dios mío. Tú no me tomas en serio, ¿verdad? Crees que te vas a salir con la tuya. ¿Qué pasa? ¿Es que estás planeando ya cómo vas a escabullirte por las noches para buscar tu ordenador?

—No. —Frank parece enfurruñado, lo que significa que la respuesta es «sí».

—¿Estás planeando ya cómo vas a forzar la cerradura?

—No.

—¡Crees que puedes vencernos! —Mamá se ha puesto a temblar—. Crees que puedes derrotarnos, ¿verdad? ¡Pues ahora *vas a ver*!

Agarra el ordenador, que pesa bastante, y sube las escaleras con el cable arrastrando detrás.

—Me voy a librar de esto. ¡Ya lo creo que sí! ¡No lo quiero en mi casa! ¡Lo quiero hecho trizas!

—¿Hecho trizas? —Frank reacciona de repente.

—¡De todos modos estás castigado, así que ¿qué más da?! —grita mamá por encima del hombro.

—No, mamá —dice él, angustiado—. Mamá, ¿qué vas a hacer?

—*¡Tú quédate ahí, jovencito!*

Su voz suena ahora distinta: da miedo de verdad, como cuando éramos pequeños, y Frank se queda parado con el pie en el escalón. Nunca le he visto tan asustado.

—¿Qué va a hacer? —pregunta en voz baja.

—No sé. Pero yo que tú no subiría.

—Pero ¿qué va a *hacer*?

En ese momento Félix entra dando brincos desde el jardín, con su bata puesta.

—¿Sabéis una cosa? —pregunta alegremente—. ¡Mami *va a tirar el ordenador por la ventana!*

Todavía no me creo que lo hiciera de verdad. No me creo que en serio tirara el ordenador de Frank por la ventana.

No fue *tan* dramático como podría haber sido porque de pronto le entró la preocupación por la seguridad, les gritó a los vecinos que se apartaran y le dijo a papá que, si tan preocupado estaba, que quitara el coche de allí.

Entre tanto, Frank oscilaba entre el pánico total y las ganas de convertirse en uno de sus personajes de las películas que convencen a los terroristas para que desactiven la bomba.

—Mamá, escúchame —insistía—. Deja el ordenador. Tú en realidad no quieres tirarlo por la ventana, mamá.

Pero no funcionó. Más que nada porque *sí* quería tirarlo por la ventana.

El ordenador no se hizo trizas, en realidad, cuando lo lanzó. Rebotó dos veces en el suelo y cayó de lado. De hecho, casi ni parecía roto allí tirado, en el césped. Quedaron solo unos cuantos cristales rotos de la pantalla, que papá se apresuró a barrer por si Félix salía descalzo a jugar al jardín o algo así.

Pero imagino que está lo bastante roto por dentro como para que Frank ya no pueda usarlo. Daba un poco de pena verlo allí, en la hierba, todo lleno de pegatinas viejas de Minecraft.

Nos quedamos todos mirándolo un rato y un par de personas hicieron fotografías. Luego, cada cual se metió en su casa. Fue, la verdad sea dicha, un poco decepcionante. Aunque no para Frank. Él estaba hecho polvo. Intenté decirle que lo sentía cuando entramos en casa, pero ni siquiera me pudo contestar.

Creo que está en estado de *shock*. No ha abierto la boca en toda la tarde. Mamá está toda pagada de sí misma y creo que papá solo se alegra de que el coche no haya acabado abollado.

En cuanto a mí, aunque en realidad no quiero pensar en ello, me pregunto si esto significa que Linus no va a venir más.

MI SERENA Y ENCANTADORA FAMILIA – TRANSCRIP-
CIÓN DEL DOCUMENTAL

INT. ROSEWOOD CLOSE Nº 5. DÍA

Mamá está sentada en la cocina con una taza de café.
Mira fijamente a cámara.

> **MAMÁ**
> Hice lo correcto. Vale, fue un poco
> drástico. Pero a veces hay que tomar
> medidas drásticas, y al principio todo
> el mundo se queda de piedra pero lue-
> go te dicen: «Caramba, eso fue muy au-
> daz y muy visionario por tu parte».

Silencio.

> **MAMÁ**
> Quiero decir que YO SÉ que hice lo co-
> rrecto. Y sí, en este momento las cosas
> están un poco tensas, pero ya mejora-
> rán. Naturalmente Frank no se lo tomó
> bien. Está enfadado, claro. ¿Qué espe-
> rabas?

Silencio.

> **MAMÁ**
> Bueno, no esperaba que fuera para
> tanto. Para ser sincera. Pero lo supe-
> raremos.

Levanta su taza de café y vuelve a dejarla sobre la mesa sin beber.

MAMÁ

Es lo que tiene ser madre, Audrey: que no es coser y cantar. Hay que tomar decisiones difíciles y hay que llevarlas a cabo. Así que sí, en este momento me está resultando difícil tratar con Frank. Pero ¿sabes qué? Algún día me lo agradecerá.

Silencio.

MAMÁ
Bueno, puede que me lo agradezca.

Silencio.

MAMÁ

Está bien, es improbable que me dé las gracias, pero el caso es que soy su madre. Y las madres no salen corriendo cuando las cosas se ponen feas.

La cámara se dirige hacia la BlackBerry de mamá y enfoca la pantalla, donde se ve una búsqueda de Google:

Fin de semana en spa para mujeres solas. Niños prohibidos.

Mamá se apresura a tapar la pantalla con la mano.

MAMÁ
Esto no es nada.

Resumiendo, que Frank ya no nos habla. A ninguno.

La verdad es que a mí me gusta bastante que esté tan callado. La casa está muy tranquila. Pero a mamá la está sacando de quicio. Hasta ha ido a hablar con su tutora, lo que, según ella «¡No ha servido de nada! ¡Al contrario! Me ha dicho que Frank está "bien" y que deberíamos "dejarle en paz". "Dejarle en paz." ¿Te lo puedes creer?» (Lo sé porque estaba escuchando al otro lado de la puerta de su habitación cuando se lo ha contado a papá.)

Esta noche Frank se ha sentado a cenar con nosotros pero se está comiendo sus enchiladas sin mirar a nadie, con la vista fija hacia delante como un zombi. Cuando papá o mamá le preguntan algo, como «¿Tienes muchos deberes?» o «¿Qué tal hoy en el colegio?», contesta con una especie de «Prfffff» o pone cara de fastidio y pasa de ellos.

Yo tampoco tengo muchas ganas de charlar esta noche, así que no es la cena más animada del mundo. De hecho, levantamos todos la cabeza aliviados cuando entra Félix, que viene del cuarto de juegos, con su pijama de tractor puesto.

—No he hecho los deberes —dice preocupado—. Mis *deberes*, mami. —Le tiende una especie de carpetilla transparente con una hoja dentro.

—Ay, por amor de Dios —masculla mamá.

—¿Deberes? —pregunta papá—. ¿A un niño de cuatro años?

—Sí, ya sé. —Mamá suspira—. Es de locos.

Saca la hoja, una hoja grande fotocopiada, con el título *Por qué nos queremos*. Debajo del encabezamiento, Félix ha dibujado lo que supongo que es un retrato de familia. Por lo menos hay cinco figuras. Mamá parece estar embarazada y papá parece un gnomo. Yo tengo la cabeza del tamaño de un alfiler y veinte dedos en las manos, muy grandes y circulares. Pero la verdad es que, aparte de eso, es un retrato bastante fiel.

—«Rellena el recuadro con ayuda de tu familia» —lee mamá—. «Ejemplo: "Nos queremos porque nos hacemos cariñitos".» —Coge un lápiz—. Muy bien. ¿Qué pongo? Félix, ¿qué es lo que más te gusta de tu familia?

—La pizza —contesta él al instante.

—No podemos poner «pizza».

—¡Pizza! —gimotea Félix—. ¡Me encanta la pizza!

—No puedo poner «Nos queremos por la pizza».

—Pues a mí me parece una respuesta bastante buena —comenta papá encogiéndose de hombros.

—Ya lo hago yo —dice Frank.

Agarra la hoja y nos miramos todos, estupefactos. ¡Frank ha hablado! Se saca un rotulador de punta fina negro del bolsillo y lee en voz alta mientras escribe:

—«Nos queremos porque respetamos las opciones de los demás y entendemos que cada uno tenga el hobby que más le gusta, y porque jamás dañaríamos a propósito algo que no es nuestro…» ¡Uy, espera!

—¡Frank, no puedes poner eso! —le dice mamá enérgicamente.

Pero es un poco tarde para decirlo porque ya lo ha escrito. Con tinta permanente.

—¡Estupendo! —Mamá le mira enfadada—. Ahora le has estropeado los deberes a tu hermano.

—He dicho la verdad. —Frank la mira con rabia—. Pero tú no puedes encajar la verdad.

—*Algunos hombres buenos* —dice papá de repente—. No sabía que la habías visto.

—En YouTube. —Frank se levanta y se acerca al lavavajillas.

—Vaya, es maravilloso —comenta mamá con cara de estar cabreada—. Ahora Félix no puede llevar los deberes al cole. Tendré que escribir una nota en su agenda. «Querida señorita Lacy, por desgracia los deberes de Félix...» ¿Qué? ¿Qué digo?

—Que se los han comido las ratas —sugiero yo.

—Que no eran aplicables en el caso de la familia Turner dado que no entendemos el concepto de amor más allá de su versión más egocéntrica e interesada —apunta Frank con voz sonora desde el fregadero.

Cuando sale encorvado de la cocina, mamá y papá cruzan una mirada.

—Ese niño necesita una afición —masculla mamá—. No deberíamos haber permitido que dejara el violonchelo.

—Por favor, lo del violonchelo otra vez no —protesta papá, alarmado—. Creo que ya no está para eso.

—¡No digo que vuelva al violonchelo! —replica mamá—. Pero necesita algo. ¿Qué hacen los adolescentes hoy en día?

—Toda clase de cosas. —Papá se encoge de hombros—. Ganar medallas olímpicas, ir a Harvard, crear empresas de Internet, protagonizar películas supertaquilleras... —Cuando se calla, parece un poco deprimido.

—No es necesario que Frank gane una medalla —repone mamá con firmeza—. Solo necesita tener algo que le interese. ¿Qué tal la guitarra? —Se le ilumina la cara—. ¿Todavía sabrá tocarla? ¿Por qué no tocáis un poco juntos en el garaje?

—Ya lo intentamos una vez —responde papá haciendo una mueca—. ¿Te acuerdas? No fue precisamente un éxito. Pero ¡podemos volver a intentarlo! —se corrige enseguida al ver la cara de mamá—. ¡Buena idea! Haremos una pequeña *jam session*. Padre e hijo. Tocaremos algunos temas, tomaremos unas cervezas... Bueno, eso no —añade rápidamente al ver que mamá abre la boca—. Nada de cerveza.

—Y además debería trabajar como voluntario —dice mamá con súbita determinación—. ¡Sí! *Eso* es lo que puede hacer Frank. Voluntariado.

◆ ◆ ◆

Estoy sentada en la cocina más tarde, toqueteando la función de retroceso de mi cámara, cuando entra Frank.

—Ah, hola. —Levanto la cabeza al acordarme de una cosa—. Oye, todavía no te he entrevistado. ¿Puedo entrevistarte ahora?

—No quiero que me entrevisten.

Tiene cara de odiar a todo el mundo. Está pálido. Con los ojos inyectados en sangre. Tiene *peor* aspecto que cuando jugaba constantemente.

—Vale.

Me encojo de hombros y tomo uno de los Doritos del cuenco que hay todavía encima de la mesa. Esta noche hemos cenado comida mexicana, la única ocasión en que mamá compra Doritos. Como si por el hecho de untarlos con guacamole dejaran de ser comida basura.

—Bueno… —añado intentando hablar con naturalidad—. Me estaba preguntando…

Mi voz me está traicionando. No suena natural, suena crispada. Aunque, por otro lado, no creo que Frank esté de humor para darse cuenta.

—¿Va a venir Linus? —pregunto atropelladamente y con cero naturalidad, pero ya está dicho. Ya lo he preguntado.

Frank vuelve la cabeza y me lanza una mirada asesina.

—¿Por qué iba a venir Linus?

—Pues… porque… —No sé qué decir—. ¿Es que os habéis peleado?

—No, no nos hemos peleado. —Tiene una mirada tan sombría y llena de furia que doy un respingo—. Me he quedado fuera del equipo.

—¿Que te has quedado fuera del equipo? —Lo miro pasmada—. Pero si era tu equipo.

—Sí, pero ya no puedo jugar, ¿no? —contesta con voz baja y ahogada.

Tengo la horrible sensación de que tiene ganas de llorar. No le he visto llorar desde que tenía unos diez años.

—Frank... —Siento una enorme oleada de pena por él. De hecho, creo que la que va a llorar soy yo—. ¿Se lo has dicho a mamá?

—¿Decírselo a mamá? —replica ásperamente—. ¿Para qué? ¿Para que se ponga a dar palmas de alegría?

—¡Ella no haría eso! —replico yo. Pero la verdad es que no estoy del todo segura.

Lo malo de mamá es que no sabe de lo que habla. No lo digo en el mal sentido. Les pasa a todos los adultos. Son unos perfectos ignorantes, pero están al mando. Es de locos. Los padres controlan todo lo que tenga que ver con la *tecnología en el hogar*, el *tiempo de exposición a la pantalla* o *las horas de conexión a las redes sociales*, pero cuando se estropea el ordenador son como bebés: «¿Qué le ha pasado a mi documento?», «No puedo entrar en Facebook», «¿Cómo subo una fotografía?», «Que haga doble clic ¿dónde?», «¿Qué quieres decir con eso?»

Y nosotros tenemos que sacarles las castañas del fuego.

Así que posiblemente mamá se pondría a dar palmas de alegría si supiera que Frank ya no está en el equipo. Y luego, un segundo después, diría: «Cariño, ¿por qué no te buscas un hobby y te unes a algún equipo?»

—Lo siento mucho, en serio, Frank —digo, pero él no contesta.

Un momento después sale de la cocina y me quedo a solas con los Doritos.

—Así que no van bien las cosas —comenta la doctora Sarah, tan tranquila como siempre.

—No es que vayan mal. Pero están todos muy estresados. Yo he pasado mucho tiempo en la cama. Es como si estuviera todo el tiempo muy *cansada*.

—Cuando estés cansada, descansa. No te resistas al cansancio. Tu cuerpo se está restaurando.

—Lo sé. —Suspiro, con las piernas dobladas y subidas a la silla—. Pero no quiero estar cansada. No quiero sentir que todo me supera. Quiero salir de esto de una vez.

Se me escapan las palabras sin pensar y siento una pequeña punzada de adrenalina.

Cuando le cuento cosas a la doctora Sarah, es como si las escuchara por primera vez y de pronto se volvieran reales. Es un poco maga, creo. Como una adivina, solo que del presente, no del futuro. En su consulta las cosas cambian. No sé cómo, pero cambian.

—¡Bien! —dice—. Eso está muy bien. Pero de lo que no pareces darte cuenta, Audrey, es de que ya *estás* saliendo de ello.

—No, qué va. —La miro con resentimiento.

¿Cómo puede decir eso?

—Claro que sí.

—Me he pasado, no sé, los tres últimos días en la cama.

—Nadie ha dicho que recuperarte fuera un viaje en línea recta. ¿Recuerdas nuestro gráfico?

Se levanta y se acerca a su pizarra blanca. Dibuja dos ejes y una línea roja aserrada ascendente.

—Vas a tener altibajos, pero avanzas en la dirección correcta. En la dirección *correcta*. Has progresado mucho, Audrey. ¿Te acuerdas de nuestra primera conversación?

Me encojo de hombros. Si os digo la verdad, tengo un poco borrosas algunas de nuestras sesiones.

—Pues yo sí. Y te aseguro que estoy muy contenta con cómo te veo hoy.

—Ah. —Siento un chisporroteo de orgullo muy pequeñito, lo cual es patético. Porque a fin de cuentas no he *hecho* nada.

—¿Qué tal va el documental?

—Bien. —Asiento con la cabeza.

—¿Has entrevistado a alguien de fuera de tu familia?

—Bueno… —Dudo un momento—. Todavía no. No exactamente.

Ella espera. Es lo que hace siempre, como un policía esperando para atrapar a un criminal. Yo siempre me digo que no voy a ser yo la que se dé por vencida primero, pero al final siempre lo hago.

—Bueno, hay un chico, Linus… —me oigo decir.

—Sí, ya me has hablado de él. —Hace un gesto afirmativo.

137

—Antes venía a ver a Frank, y yo iba a entrevistarle. Pero ahora ya no viene. Así que se me ha ocurrido... Bueno, quiero decir que... —Me interrumpo sin saber qué quiero decir en realidad.

—Quizá deberías pedírselo —sugiere la doctora Sarah como si no tuviera mucha importancia.

—No puedo —contesto automáticamente.

—¿Por qué?

—Porque... —Me quedo callada.

Ella sabe por qué. No hace falta que yo lo diga.

—Vamos a imaginarnos qué es lo peor que puede pasar —dice jovialmente—. Le pides a Linus que se pase por tu casa y te dice que no. ¿Cómo te sentirías?

Estoy tan agobiada que me corre un hilillo de sudor por la espalda. Ya no me gusta esta conversación. No debería haberle hablado de Linus.

—¿Cómo te sentirías? —insiste—. Échame una mano, Audrey. Linus acaba de decir que no va a ir a tu casa. ¿Cómo te sientes?

—Completamente avergonzada —respondo abatida—. Me dan ganas de morirme. Ay, Dios mío. Qué idiota me siento... —Contraigo la cara en una mueca de angustia.

—Idiota ¿por qué?

—Pues... *¡porque sí!* —La miro casi con enfado.

A veces se hace la tonta a propósito.

—Linus no va a venir. —Se levanta y lo escribe en la pizarra:

Linus no va a venir.

Luego dibuja una flecha y escribe «Lo que piensa Linus» dentro de un círculo.

Linus no va a venir. → Lo que piensa Linus

—¿Por qué lo que piensa Linus hace que te sientas como una idiota? —pregunta señalando la pizarra.

—Porque... —Lucho con mis propios procesos mentales—. Porque no debería habérselo pedido.

—¿Por qué no? —replica—. Te ha dicho que no, pero eso solo significa que no le apetece que le entrevisten o que está ocupado, o que piensa decirte que sí en otro momento. O podrían ser muchas otras cosas. No quiere decir nada respecto a ti.

—¡Por supuesto que sí! —contesto sin poder evitarlo.

—¿Sí? —insiste ella al instante—. *¿Por supuesto* que sí?

Vale, he caído en la trampa. «Por supuesto» es una de esas expresiones que hace que la nariz de la doctora Sarah tiemble como la de un tiburón olfateando sangre. Esa y «tengo que».

—Audrey, ¿acaso sabes lo que piensa Linus?

—No —respondo de mala gana.

—No pareces muy segura. ¿Puedes leerle el pensamiento a la gente, Audrey?

—No.

—¿Tienes superpoderes y no me lo habías contado?

—No. —Levanto las manos—. Vale, ya lo pillo. Estaba haciendo como si pudiera leer la mente.

—Estabas haciendo como si pudieras leer la mente. —Asiente con la cabeza—. No sabes lo que piensa Linus. Podría ser bueno, podría ser malo. Con toda probabilidad, no piensa nada en absoluto. Es un chico. Vete haciéndote a la idea. —Su cara se arruga en una sonrisa.

—Ya. —Sé que intenta hacerme sonreír, pero estoy demasiado confusa—. Entonces... ¿debería pedírselo?

—Yo creo que sí.

Coge el borrador de la pizarra y borra lo de «Linus no va a venir». En su lugar escribe:

Linus quizá vaya.
O quizá no. En todo caso,
no pasa nada. Su decisión
tiene que ver con él,
no contigo. Tú no eres
responsable de sus
sentimientos.

→ Lo que piensa Linus

—¿De acuerdo? —pregunta cuando he acabado de leerlo.

—De acuerdo.

—Bien. Entonces, pídeselo. Esos serán tus deberes. Preguntárselo a Linus.

El primer paso es pillar a mamá de buen humor, cuando no vaya a darle un soponcio, ni a darle más importancia de la que tiene, ni nada de nada. Espero hasta que acaba de ver *MasterChef*, luego me siento como quien no quiere la cosa en el brazo del sofá y digo:

—Mamá, me gustaría tener teléfono.

—¿Teléfono? —Se incorpora en el sofá con los ojos como platos y la boca abierta—. ¿Un *móvil*?

Si yo soy la Reina de la Exageración, mamá es la Emperatriz.

—Eh, sí. Un móvil. Si te parece bien.

—¿A quién vas a llamar? —pregunta.

—Pues… no sé. A gente.

Ya sé que parezco un poco arisca, pero es ella la que me hace reaccionar así.

—¿A qué gente?

—¡A gente! ¿Es que necesitas que te diga todos los nombres?

Se hace un silencio y me doy cuenta de lo que está pensando porque yo estoy pensando lo mismo. Que mi último teléfono no fue precisamente un éxito. Bueno, era un teléfono bastante bueno. Un Samsung. Pero se convirtió en una especie de portal. Un portal tóxico hacia… todo eso. Temblaba de miedo con solo oírlo zumbar cuando llegaba un mensaje de texto, y no digamos cuando leía alguno. No sé qué pasó con él. Papá lo hizo desaparecer.

Pero, bueno, eso fue entonces.

Con esas personas.

—Audrey…

Mamá pone cara de angustia y de pronto me da pena haberle estropeado una agradable velada viendo *MasterChef* y *Casas de ensueño*, o lo que sea.

—No va a pasar nada —le aseguro.

—¿Quieres llamar a Natalie? ¿Es eso?

Al oír hablar de Natalie me acobardo un poco. No sé si estoy lista para hablar con Natalie. Pero tampoco quiero darle pistas a mamá.

—A lo mejor. —Me encojo de hombros.

—Audrey, no sé si…

Sé por qué mi madre está tan sensibilizada con este tema. Yo también lo estoy, os lo aseguro. (De hecho, soy *excesivamente sensible*: me lo ha dicho todo el mundo.) Pero no pienso ceder. Estoy decidida. Quiero un teléfono.

—Ten cuidado, Audrey. Es solo que… No quiero que…

—Lo sé.

Veo algunas canas entre sus lustrosas mechas castañas. Su piel parece muy fina. Creo que todo esto la ha envejecido. *Yo* la he envejecido.

—La doctora Sarah me diría que me compre el teléfono —afirmo para que se sienta mejor—. Siempre dice que puedo mandarle mensajes cuando quiera. Que cuando esté preparada, me daré cuenta. Pues ya estoy preparada.

—De acuerdo. —Mamá suspira—. Te compraremos un teléfono. Es fantástico que quieras tener uno, cariño. Es maravilloso. —Pone una mano sobre la mía como si acabara de ver el lado positivo del asunto—. ¡Es un progreso!

—Todavía no lo he usado —le recuerdo—. No te hagas muchas ilusiones. —Me siento en el sofá como es debido y me acerco un poco a ella—. ¿Qué estás viendo?

Mientras cambio los cojines de sitio, veo que tiene un libro en el regazo. Se titula *Cómo hablar con tu hijo adolescente*, del doctor Terence Kirshenberger.

—¡Ostras! —Lo cojo—. Mamá, ¿qué es esto?

Se pone colorada e intenta quitármelo.

—Nada. Es solo un libro.

—¡No necesitas un libro para hablar con nosotros! —Paso unas cuantas páginas y veo un montón de viñetas sin ninguna gracia. Luego miro la contraportada—. ¿Doce noventa y cinco? ¿Te has gastado doce noventa y cinco en esto? ¿Qué es lo que dice? Apuesto a que dice: «Tu hijo adolescente también es un ser humano».

—No, dice: «¡Devuélveme mi libro!» —Agarra el libro antes de que pueda impedírselo y se sienta encima de él—. Vale, y ahora, ¿no estábamos viendo la tele?

Pero sigue estando roja y parece un pelín avergonzada. Pobre mamá. No puedo creer que se haya gastado doce libras con noventa y cinco en un libro lleno de viñetas horribles.

◆ ◆ ◆

¡Se lo ha leído! ¡Se ha leído el libro de doce con noventa y cinco!

Lo sé porque el sábado, a la hora del desayuno, empieza de pronto a hablarle a Frank como en un idioma extranjero.

—Bueno, Frank, he notado que ayer dejaste dos toallas mojadas en el suelo de tu habitación —empieza en un tono de calma muy raro—. Eso me causó cierta sorpresa. ¿Qué sentiste tú al respecto?

—¿Eh? —Frank la mira extrañado.

—Creo que juntos podríamos encontrar una solución para el problema de las toallas —continúa mamá—. Me parece que podría ser un reto divertido.

Él me mira pasmado y yo me encojo de hombros.

—¿Qué opinas, Frank? —insiste—. Si esta casa la llevaras tú, ¿qué me aconsejarías respecto a las toallas?

—No sé. —Frank parece un poco nervioso—. Que uses papel de cocina y luego lo tires.

Noto que a mamá la irrita un poco su respuesta, pero sigue sonriendo de esa forma tan rara.

—Te escucho —dice—. Una idea interesante.

—No, no lo es. —Él la mira con desconfianza.

—Sí que lo es.

—Mamá, es una idea estúpida que me he inventado para fastidiarte. No puedes decir «Es interesante».

—Te escucho. —Mamá asiente con la cabeza—. Te escucho, Frank. Entiendo tu punto de vista. Es muy válido.

—¡Yo no tengo punto de vista! —le espeta él—. ¡Y deja de decir «te escucho»!

—Mamá ha leído un libro —le digo yo—. Se titula *Cómo hablar con tu hijo adolescente.*

—Joder, qué putada. —Frank pone los ojos en blanco.

—¡*No* digas tacos, jovencito! —grita mamá, saliendo de pronto del modo Mamá Perfecta.

—¡*Joder*, qué putada! —canturrea Félix alegremente, y mamá contiene la respiración, furiosa.

—¿Lo ves? ¿Ves lo que has hecho?

—¡Pues deja de hablar como un maldito robot! —le grita Frank—. Suena todo falso.

—¡Maldito robot! —repite Félix.

—El libro le costó doce con noventa y cinco —le revelo a Frank, que se ríe, incrédulo.

—¡Doce con noventa y cinco! Yo podría escribir ese libro en unas ocho palabras. Diría: «Deja de tratar a tu hijo con condescendencia».

Se hace el silencio. Creo que mamá está haciendo esfuerzos para no perder los nervios. Y por cómo aprieta la servilleta hasta dejarla hecha una bolita, me parece que le está costando bastante. Por fin levanta la vista, sonriendo otra vez.

—Frank, entiendo que en estos momentos tu vida te resulte frustrante —afirma en tono amable—. Así que te he buscado algunas ocupaciones. Hoy puedes tocar un poco la guitarra con papá y la semana que viene vas a empezar a trabajar como voluntario.

—¿Como voluntario? —Frank parece asombrado—. Haciendo ¿qué? ¿Construir chozas en África?

—Preparando sándwiches para la fiesta de Avonlea.

Avonlea es la residencia para personas mayores que hay en la calle de al lado. Celebran una fiesta todos los años y es bastante divertida. Ya sabéis. Para ser una fiesta en un jardín, llena de ancianos.

—¿Preparar *sándwiches*? —Frank parece horrorizado—. Será una broma.

—He ofrecido nuestra cocina para preparar el cátering. Vamos a contribuir todos.

—Yo no pienso hacer sándwiches de mierda.

—Te escucho —dice mamá—. Pero vas a hacerlos. Y no digas palabrotas.

—No voy a hacerlos.

—Te escucho, Frank —repite mamá implacablemente—. Pero vas a hacerlos.

—Mamá, para, ¿vale?

—Te escucho.

—*Para.*

—Te escucho.

—¡Para! ¡Dios! —Frank se lleva los puños a la cabeza—. ¡Vale, haré los malditos sándwiches! ¿Has acabado ya de amargarme la vida?

Se aparta bruscamente de la mesa y mamá esboza una sonrisilla.

INT. ROSEWOOD CLOSE Nº 5. DÍA

La cámara se acerca a las puertas del garaje. Dentro
vemos a papá vestido con pantalones de cuero, sujetando una guitarra conectada a un amplificador enorme.
Frank está de pie allí cerca, con un bajo entre las manos y cara de aburrimiento.

> PAPÁ
> (con entusiasmo)
> Bueno, vamos a tocar. Podemos impro-
> visar un poco y divertirnos.

Toca un *riff* para lucirse.

> PAPÁ
> ¿Te sabes *Por ella, por mí*?

> FRANK
> ¿Qué?

> PAPÁ
> *Por ella, por mí*. Es nuestra canción
> más conocida.

Parece un poco dolido.

> PAPÁ
> Te mandé el enlace. Hago un solo en
> ese tema.

Toca otro *riff*.

> FRANK
>
> Ya. Eh... No la conozco.

> PAPÁ
>
> ¿Te sabes alguna?

> FRANK
>
> Me sé la sintonía de LOC.

Empieza a tocarla, pero papá mueve la cabeza con impaciencia.

> PAPÁ
>
> Tenemos que tocar música *de verdad*. Vale, improvisaremos usando la estructura de los acordes. Algo sencillo. Introducción: do, mi, fa, sol. Estribillo a doble tiempo: dos compases de re menor, fa, sol. Y repetimos el estribillo con un acorde de sol para prepararnos para volver a la melodía.

Frank le mira asustado.

> FRANK
>
> ¿Qué?

> PAPÁ
>
> Tú limítate a sentir la música. Seguro que lo haces bien. Un, dos, un, dos, tres, cuatro.

Se oye un ruido espantoso cuando empiezan a tocar los dos. Papá se pone a cantar con voz rasposa.

PAPÁ
(cantando)
Por ella... por miiiiiii...
Empezamos otra vez....
(gritando para hacerse oír por encima
de la música)
Tú haz el acompañamiento, Frank.
(canta)
Por ella, por miiiiiii...

Se lanza a hacer un solo. Frank mira a cámara horrorizado y mueve la boca diciendo: «¡Socorro!»

MI SERENA Y ENCANTADORA FAMILIA – TRANSCRIPCIÓN DEL DOCUMENTAL

INT. ROSEWOOD CLOSE Nº 5. DÍA

Mamá está haciendo la comida en la cocina cuando entra papá, muy animado. Ella levanta la mirada.

> MAMÁ
> Bueno, ¿qué tal ha ido?

> PAPÁ
> ¡Ha sido genial! Hemos tocado, hemos estrechado vínculos... Creo que Frank se lo ha pasado en grande.

> MAMÁ
> ¡Qué maravilla! ¡Bien hecho!

Le da un abrazo.

MI SERENA Y ENCANTADORA FAMILIA – TRANSCRIP-
CIÓN DEL DOCUMENTAL

INT. ROSEWOOD CLOSE Nº 5. DÍA

Frank está sentado en lo alto de la escalera. Se dirige a
cámara.

> FRANK
> Ay, Dios mío. Ha sido la peor experien-
> cia de mi vida.

> AUDREY (VOZ EN OFF)
> No, qué va.

> FRANK
> (frunce el ceño)
> Tú qué sabes. Puede que sí.

Se apoya contra la barandilla.

> FRANK
> ¿Por qué se empeña papá en que to-
> quemos juntos esa antigualla de músi-
> ca? ¿Por qué?

> AUDREY (V.E.O.)
> Para que dejes de jugar a videojuegos.

Frank me mira malhumorado.

> FRANK
> Gracias, Einstein.

AUDREY (V.E.O.)

Yo solo te lo digo. Quieren que te inte-
reses por otras cosas.

FRANK

(estalla)

¡Yo no quiero interesarme por otras
cosas! ¿Qué tienen de malo los videojuegos?

AUDREY (V.E.O.)

Yo no he dicho que tengan algo de
malo.

FRANK

Desarrollan los reflejos, mejoran la
capacidad de trabajo en equipo y de
planificación, te enseñan cosas...

AUDREY (V.E.O.)

(en tono escéptico)

¿Te enseñan cosas? ¿Qué cosas?

FRANK

Vale, ¿quieres que te lo diga? (Va contando con los dedos.) Minecraft, arqui-
tectura. Sim City, cómo gestionar una
población, un presupuesto y rollos de
esos. Assassin's Creed, Roma antigua
y los Borgia y... bueno, Leonardo da
Vinci. De todo. Toda la historia que sé
la he aprendido en Assassin's Creed,
no en clase. Procede toda de los videojuegos.

AUDREY (V.E.O.)
¿Qué has aprendido con LOC?

FRANK
Principalmente, palabrotas en coreano.

(de pronto se pone a gritar)
¡SHIBSIKII!

AUDREY (V.E.O.)
¿Qué significa eso?

FRANK
Utiliza tu imaginación.

Mamá llama desde la planta de abajo.

MAMÁ
¡Frank! ¡Audrey! ¡A comer!

Frank ni siquiera parece oírla.

FRANK
¿Sabías que en muchos países el LOC
es un deporte de masas? ¿Sabes que
hasta tienen estadios?

AUDREY (V.E.O.)
Sí, lo sé. Me lo has dicho como un millón de veces.

FRANK
¿Y sabías que en Estados Unidos hay
becas de LOC en algunas universida-
des?

AUDREY (V.E.O.)
También me lo has dicho.

FRANK
Es un juego muy sofisticado. Tiene su propio lenguaje. Sus propias reglas. Es como... como el puto latín. Eso es, como el latín. Pero papá y mamá están siempre «Oh, qué horror». ¿Y si estuviera enganchado al latín, qué pasaría entonces?

Un largo silencio.

AUDREY (V.E.O.)
La verdad, no me lo imagino.

Así que mamá me ha comprado un teléfono. Ese ha sido el paso uno. Frank me ha dado el número de Linus. Ese ha sido el paso dos. Ahora tengo que llamarle.

Grabo su número y me quedo mirándolo un rato. Intento imaginarme cómo empezará la conversación. Anoto algunas palabras y expresiones útiles que quizá me vengan bien (me lo aconsejó la doctora Sarah). Visualizo una situación positiva.

Pero aun así no me atrevo a llamarle. Así que le escribo un mensaje de texto.

> Hola, Linus. Soy Audrey, la hermana
> de Frank. Sigo haciendo mi documental
> y, como dijiste que podía entrevistarte,
> ¿podríamos vernos, si no te importa?
> Gracias, Audrey.

No espero que me conteste, o por lo menos no enseguida, pero el teléfono zumba un segundo después y ahí está su respuesta:

> Claro. ¿Cuándo?

Eso no lo había pensado. ¿Cuándo? Es sábado por la tarde, lo que significa que mañana tenemos todo el día.

¿Mañana? ¿Quieres venir a casa sobre las once?

Pulso ENVIAR y esta vez pasa un ratito hasta que contesta:

No, mejor nos vemos en Starbucks.

Una punzada de pánico me atraviesa todo el cuerpo como un hierro candente. ¿Starbucks? ¿Es que se ha vuelto loco? Entonces llega otro mensaje:

De todos modos tienes que ir, ¿no? ¿No era ese tu proyecto?

Pero… pero… pero…
¿Starbucks?
¿Mañana?
Me tiemblan los dedos. Me arde la piel. Tomo aire contando hasta cuatro y lo expulso contando hasta siete al mismo tiempo que intento ponerme en la piel de la doctora Sarah. ¿Qué me aconsejaría ella? ¿Qué me diría?
Pero ya sé qué me diría. Porque ya lo ha dicho. Oigo su voz dentro de mi cabeza, ahora mismo:
Es hora de dar pasos más grandes.
Tienes que ponerte retos, Audrey.
No lo sabrás hasta que lo intentes.
Creo que puedes afrontarlo.
Me quedo mirando el teléfono hasta que los números se me emborronan delante de los ojos, y luego escribo el mensaje antes de que me dé tiempo a cambiar de idea:

Vale. Nos vemos allí.

Ahora ya sé cómo se siente un anciano.

Bueno, no, no sé lo que es tener la piel arrugada y el pelo canoso. Pero sí sé lo que es caminar por la calle con paso lento e inseguro, sobresaltándose cuando pasa alguien por nuestro lado, dando un respingo cuando suena un claxon y sintiendo que todo va *demasiado* deprisa.

Mamá y papá se han llevado a Félix a pasar el día fuera, a no sé qué exposición botánica, y en el último momento se han llevado también a Frank para «ampliar sus horizontes». Así que no tienen ni idea de lo que voy a hacer. No me apetecía pasar por el mal trago de tener que decírselo, sabiendo lo nerviosa que iba a ponerse mamá y el revuelo que iba a armarse. Así que he esperado a que se fueran, he cogido mis llaves, mi dinero y la cámara y he salido de casa.

Cosa que no hacía desde...

No sé. Desde hace *muchísimo* tiempo.

Vivimos a unos veinte minutos andando de Starbucks, yendo a buen paso. Yo no voy a buen paso, pero tampoco me paro. Voy caminando. Aunque mi cerebro reptiliano está listo para acurrucarse de miedo, me las arreglo para poner un pie delante de otro. Izquierdo, derecho. Izquierdo, derecho.

Llevo las gafas de sol puestas y las manos metidas en los bolsillos de la sudadera, y me he subido la capucha para sentirme más segura. No he levantado la vista del suelo, pero eso no importa. De todos modos, la mayoría de la gente va por la calle metida en su mundo.

Cuando llego al centro, las aceras están cada vez más llenas de gente y los escaparates de las tiendas son más ruidosos y coloridos, y con cada paso que doy mis ganas de huir se hacen más fuertes, pero no lo hago. Sigo adelante. Es como escalar una montaña, me digo. Tu cuerpo no quiere, pero aun así lo haces.

Y entonces, por fin, llego a Starbucks. Cuando me acerco a la fachada, que conozco muy bien, estoy como agotada, pero también muy contenta. Estoy aquí. ¡Estoy aquí!

Abro la puerta y ahí está Linus, sentado a una mesa cerca de la entrada. Lleva vaqueros y una camiseta gris, y está buenísimo, pienso sin poder evitarlo. Y no porque esto sea una cita.

Porque, *evidentemente*, no es una cita. Pero aun así...

Dejo la frase a medias. Aunque, en fin, ya sabéis lo que quiero decir.

Se le alegra la cara al verme y se levanta de un salto.

—¡Has venido!

—¡Sí!

—Creía que no vendrías.

—Yo también —reconozco.

—Pero ¡has venido! ¡Estás curada!

Su entusiasmo es tan contagioso que sonrío como una loca y hacemos una especie de minibaile subiendo y bajando los brazos.

—¿Pedimos un café?

—¡Sí! —contesto con mi nuevo tono de seguridad, como si todo fuera a las mil maravillas—. ¡Genial!

Cuando nos ponemos a la cola, estoy un poco alterada. La música suena muy alta y las conversaciones de alrededor golpean mis tímpanos con una fuerza que me asusta, pero en lugar de resistirme me dejo llevar, como haces en un concierto de rock cuando la fuerza del ruido se apodera de tus nervios y no te queda más remedio que rendirte a ella. (Y sí, soy consciente de que la mayoría de la gente no equipararía la suave cháchara de un Starbucks con un concierto de rock. Pero solo os digo una cosa: *probad a vivir dentro de mi cerebro una temporada*).

Noto cómo palpita mi corazón, pero no sé si es por el ruido, por la gente o porque estoy con un chico guapísimo. Pido un Frapuccino con caramelo y la chica del mostrador me pregunta ásperamente:

—¿Nombre?

Si algo no me apetece es que griten mi nombre en una cafetería llena de gente.

—Odio lo de los nombres —le digo a Linus en voz baja.

—Yo también. —Asiente con la cabeza—. Da uno falso. Es lo que hago yo.

—¿Nombre? —repite la chica con impaciencia.

—Eh… Esto… Ruibarbo —respondo.

—¿Ruibarbo?

Es fácil poner cara de póquer cuando llevas gafas de sol negras y capucha y miras hacia un lado.

—Sí, me llamo así: Ruibarbo.

—¿Te llamas *Ruibarbo*?

—Claro que se llama Ruibarbo —interviene Linus—. Oye, Ru, ¿te apetece comer algo? ¿Quieres un *muffin*, Rui?

No puedo evitar sonreír.

—No, gracias.

—Vale, Rui. No importa.

—Vale. Rui-barbo. —La chica lo escribe con su rotulador—. ¿Y tú?

—Para mí, un capuchino —contesta Linus educadamente—. Gracias.

—¿Tu nombre?

—Te lo deletreo. Z, W, P, A, E, N…

—¿Qué? —Se queda mirándole con el rotulador en la mano.

—Espera, no he acabado. F, F, guión, T, J, U, S. Es un nombre un poco raro —añade muy serio—. Es holandés.

Yo estoy temblando, intentando no reírme.

La chica nos mira con cara de malas pulgas.

—Pues aquí te llamas John —le espeta, y lo garabatea en el vaso.

Le digo a Linus que invito yo porque el documental es mío y soy la productora, y me dice que vale, que la próxima vez invita él. Luego cogemos nuestros vasos (Ruibarbo y John) y volvemos a nuestra mesa. Me late el corazón aún más fuerte, pero estoy flipando. ¡Miradme! ¡Estoy en Starbucks! ¡He vuelto a la normalidad!

Bueno, sí, todavía llevo las gafas puestas. Y no puedo mirar a nadie. Y no paro de retorcerme las manos encima del regazo. Pero estoy aquí. Y eso es lo que cuenta.

—Así que habéis echado a Frank del equipo —digo cuando nos sentamos, y enseguida me arrepiento por si ha sonado muy agresivo.

Pero Linus no parece ofendido. Parece preocupado.

—Frank no me lo reprocha —comenta enseguida, y me doy cuenta de que deben de haber hablado del asunto—. Porque, claro, no esperaba que dejáramos de jugar a LOC porque él no pueda. Dice que él habría hecho lo mismo.

—Entonces, ¿quién es el cuarto jugador?

—Un tal Matt —contesta sin entusiasmo—. No está mal.

—Mi padre obligó a Frank a tocar el bajo con él en el garaje —le cuento—. Cree que es una afición más interesante.

—¿Frank toca el bajo?

—Solo un poco. —Me da la risa—. Toca, no sé, tres acordes, y mi padre hace solos de diez minutos.

—¿Y eso te parece malo? Mi padre toca la flauta dulce.

—¿Qué? —Se me corta la risa de golpe—. ¿En serio?

—No se lo digas a nadie.

De pronto parece vulnerable, y yo siento una oleada de… algo. De algo fuerte y cálido. Como cuando abrazas a alguien y le aprietas.

—No voy a decírselo a nadie, te lo prometo. —Doy un sorbo de Frappuccino—. Pero ¿una flauta dulce como las que tocan los niños?

—No, una de adulto. De madera. Grande. —Me indica el tamaño.

—¡Hala! No sabía que existían.

Bebemos unos sorbos de café y nos sonreímos. Las ideas se me agolpan en la cabeza. Ideas alocadas como ¡*Lo he conseguido! ¡Estoy en Starbucks! ¡Viva!* Pero también otras más siniestras, como *Todo el mundo me mira* o *Me odio a mí misma.* Y entonces, de pronto, pienso que ojalá estuviera en casa, lo cual es muy extraño porque en realidad *no* quiero estar en casa. ¡Estoy con Linus! ¡En Starbucks!

—Bueno, ¿qué quieres preguntarme para tu documental? —dice Linus.

—Pues no sé. Cosas.

—¿Esto forma parte de tu terapia?

—Sí. Más o menos.

—Pero ¿todavía necesitas hacer terapia? Lo digo porque parece que estás bien.

—Bueno, estoy bien. Es solo que este proyecto...

—Si te quitaras las gafas de sol volverías a ser completamente normal. Deberías quitártelas —afirma con entusiasmo—. Ya sabes, *hacerlo* y ya está.

—Sí, lo haré.

—Pero no deberías esperar. Deberías hacerlo aquí, ahora mismo.

—Sí. Puede ser.

—¿Quieres que te las quite yo?

Alarga el brazo y me aparto.

Mi valentía está empezando a derretirse. La voz de Linus me suena hostil, como si me estuviera haciendo un interrogatorio.

No sé qué ha pasado dentro de mi cabeza. Las cosas han cambiado. Bebo un sorbo de café intentando relajarme, pero me muero de ganas de coger una servilleta y hacerla trocitos. Las voces suenan cada vez más altas a mi alrededor, cada vez más amenazadoras.

En el mostrador alguien se queja de que su café está frío, y me descubro escuchando la única parte del diálogo que puedo oír.

—Me he quejado ya tres veces… No quiero un café gratis… ¡No, no me parece bien! ¡No me parece bien en absoluto!

Esa voz airada es como un cincel dentro de mi cerebro. Me sobresalta, y cierro los ojos, deseando huir. Está empezando a darme un ataque de ansiedad. Mi pecho sube y baja. No puedo quedarme. No puedo. La doctora Sarah se equivoca. No voy a recuperarme nunca. Fijaos, ni siquiera puedo sentarme a tomar un café en Starbucks. Soy un fracaso total.

Por mi cabeza empiezan a circular ideas aún más siniestras, que tiran de mí hacia abajo, hundiéndome cada vez más. *Debería ir a esconderme. Ni siquiera debería existir.* ¿Qué sentido tiene que exista, de todos modos?

—¿Audrey? —Linus mueve una mano delante de mi cara, lo que me asusta aún más—. ¿Audrey?

—Lo siento. —Trago saliva y empujo la silla hacia atrás. Tengo que escapar de aquí.

—¿Qué pasa? —Me mira extrañado.

—No puedo quedarme.

—¿Por qué?

—Es que… hay demasiado ruido. Demasiado ruido. —Me tapo los oídos con las manos—. Lo siento. Lo siento mucho…

Ya estoy en la puerta. La abro y siento un pequeño alivio al salir a la calle. Pero no estoy a salvo. No estoy en casa.

—Pero si estabas bien… —Linus ha salido detrás de mí. Parece casi enfadado—. ¡Estabas bien hace un momento! Estábamos charlando y riéndonos…

—Sí, ya.

—Entonces, ¿qué ha pasado?

—Nada —contesto desesperada—. No sé. No tiene sentido.

—Pues entonces tienes que decirte a ti misma que no tiene sentido. Ya sabes, controlar tu mente.

—¡Lo he intentado! —Se me saltan las lágrimas de rabia—. ¿Crees que no lo he *intentado*?

Las señales de alarma giran dentro de mi cabeza como un torbellino. Tengo que irme. Ahora mismo. Jamás he parado un taxi, en toda mi vida, pero ahora mismo ni siquiera lo pienso. Levanto la mano y un taxi negro para a nuestro lado. Tengo los ojos llenos de lágrimas cuando subo al taxi, aunque nadie pueda verlas.

—Perdona —le digo a Linus con la voz un poco ronca—. De verdad. Así que… Deberíamos olvidarnos de lo del documental y todo eso. Bueno… Supongo que no te veré más. Adiós. Lo siento. Lo siento.

◆ ◆ ◆

Al llegar a casa me tumbo en la cama, totalmente quieta y en silencio, con las cortinas echadas y los auriculares puestos. Estoy así unas tres horas. No muevo ni un músculo. A veces tengo la sensación de que soy un teléfono y de que solo así puedo recargarme. La doctora Sarah dice que tengo subidas y bajadas de adrenalina y que por eso paso de estar rebosante de energía a estar muerta de cansancio, sin transición.

Por fin, aunque me tiemblan las piernas, bajo a comer algo. Le escribo un mensaje a la doctora Sarah (He ido a Starbucks y me ha dado un bajón) y se lo mando. Los pensamientos tétricos se han ido, pero me han dejado débil y temblorosa.

Entro en la cocina y doy un brinco al verme de pasada en el espejo. Estoy pálida y como… no sé. Como encogida. Es como la gripe, que te ataca y se apodera de todo tu cuerpo. Estoy dudando si prepararme un sándwich de Nutella o de queso cuando oigo un ruido en el vestíbulo y, un instante después, algo que cae sobre el felpudo, y doy un brinco de un metro.

Se hace un silencio. Tengo tenso todo el cuerpo, como un animal en una trampa, pero me digo con firmeza *Estoy a salvo, estoy a salvo, estoy a salvo*, y mi pulso se va desacelerando poco a poco, hasta que por fin consigo salir a ver qué es.

En el felpudo hay una nota: una hoja de papel arrancada de un cuaderno de rayas, con «AUDREY» escrito con la letra de Linus. La abro y leo:

¿Estás bien? Te he mandado un mensaje pero no has contestado. Frank tampoco contesta. No quería llamar a la puerta y asustarte. ¿¿Estás bien??

Ni siquiera he mirado el teléfono desde que le mandé el mensaje a la doctora Sarah. Y Frank está en el campo, en esa exposición botánica. Seguramente no tiene cobertura. Me lo imagino paseando de mala gana por un prado, y se me escapa una sonrisa. Debe de estar de un humor de perros.

De pronto, a través del cristal ondulado de la puerta, veo una especie de movimiento borroso y me da un vuelco el corazón. Ay, Dios. ¿Es Linus? ¿Está ahí fuera, esperando? Esperando, ¿qué?

Cojo un boli y pienso unos segundos.

Estoy bien, gracias. Perdona que me haya puesto así.

Meto la nota por la rendija del buzón. Me cuesta un poco porque hay un muelle, pero lo consigo. Un momento después vuelve a aparecer.

Tenías muy mala cara. Estaba preocupado.

Miro fijamente sus palabras y se me cae el alma a los pies. *Muy mala cara.* Tenía *muy mala cara.* Lo he echado todo a perder.

Perdona.

No sé por qué, pero no se me ocurre nada más que escribir, solo eso, así que vuelvo a escribirlo.

Perdona. Perdona.

Y vuelvo a meter la carta por el buzón. Casi enseguida vuelve a aparecer con su respuesta:

No, no me pidas perdón. No es culpa tuya. ¿Qué has pensado en Starbucks?

Eso no me lo esperaba. Me quedo quieta unos segundos. Estoy agachada en el felpudo y los pensamientos me pasan a todo correr por la cabeza, como teletipos. ¿Contesto? ¿Y qué contesto?

¿Quiero decirle lo que he pensado?

La voz de aquella psicóloga del hospital resuena dentro mi cabeza. Esa que solía dar el Taller de Autoafirmación. *No tenemos por qué desvelar nuestro yo*, solía decir cada semana. *Tenemos derecho a la intimidad. No tenéis por qué compartirlo todo con los demás, aunque os lo pidan con insistencia. Fotografías, fantasías, planes para el fin de semana… Son vuestros.* Entonces solía recorrer la sala con la mirada casi con severidad y añadía: *NO tenéis por qué compartirlos.*

No tengo por qué contarle a Linus lo que he pensado. Podría marcharme. Podría escribir: «¡Bah, nada!» O: «¡¡¡Más vale que no lo sepas!!!)», como si fuera una gran broma.

Pero… No sé por qué, pero quiero contárselo. No sé por qué, pero quiero hacerlo. Confío en él. Y está al otro lado de la puerta. No corro ningún peligro. Es como si estuviera en un confesionario.

Antes de que me dé tiempo a cambiar de idea, escribo rápidamente:

Me he puesto a pensar que era un fracaso total, que no debería existir, que para qué existo.

Meto la nota por la ranura, me siento en cuclillas y suspiro, sintiendo una extraña satisfacción. Ya está. Se acabó de fingir. Ahora ya sabe lo rara que es mi mente por dentro. Contengo la respiración intentando distinguir cómo reacciona al otro lado de la puerta, pero solo hay silencio. El cristal ondulado está quieto. No detecto ningún movimiento. Creo que se ha ido.

Claro que se ha ido. ¿Quién se habría quedado en una situación así?

Ay, Dios, ¿estoy *loca*? ¿Por qué escribo mis pensamientos más retorcidos y se los paso por el buzón de la puerta al único chico que de verdad me gusta? ¿Por qué lo he hecho?

Hecha polvo, me pongo de pie y he llegado a la puerta de la cocina cuando oigo un ruido. Me vuelvo y allí está la respuesta, en el felpudo. Me tiemblan las manos cuando la cojo y al principio no consigo concentrarme. Es una hoja nueva, llena de letras, y empieza diciendo:

¿Que para qué existes? Pues por esto, por ejemplo.

Y debajo hay una larga lista. Una lista muy, muy larga que llena toda la página. Estoy tan nerviosa que ni siquiera puedo leer como es debido, pero al mirarla por encima veo cosas como «sonrisa preciosa» y «un gusto genial para la música (eché un vistazo a tu iPod)» y «un nombre alucinante para pedir en Starbucks».

Se me escapa de pronto una carcajada que casi se convierte en un sollozo y luego en una sonrisa, y después, de repente, me estoy secando los ojos, nerviosísima.

Con un ruido de chapa, otra nota se cuela por la ranura y yo doy un brinco, asustada. ¿Qué más querrá decirme? No será otra lista larguísima, ¿verdad? Pero la nota dice:

¿Puedes abrir la puerta?

Siento un hormigueo de alarma que me recorre todo el cuerpo. No puedo dejar que me vea así, encogida, pálida y hecha polvo. No puedo. Sé que la doctora Sarah me diría que no estoy encogida ni hecha polvo, que son imaginaciones mías, pero la doctora Sarah no está aquí, ¿no?

No estoy preparada. En otro momento. Perdona, perdona...

Contengo la respiración después de mandar el mensaje. Seguro que va a ofenderse. Se marchará. Ya está, se acabó antes incluso de haber empezado…

Pero entonces el buzón vuelve a sonar y llega la respuesta:

Entendido. Me voy, entonces.

Se me cae el alma a los pies. Se va a ir. *Está* ofendido. Me odia, debería haber abierto la puerta, debería haber sido más fuerte, qué idiota soy… Estoy pensando frenéticamente qué puedo contestarle cuando cae otra hoja en el felpudo. Está doblada y por fuera ha escrito:

Tenía que darte esto antes de irme.

Durante unos segundos no me atrevo a leerla. Pero por fin la desdoblo y me quedo mirando lo que pone. Me pica toda la cabeza de incredulidad. Se me entrecorta la respiración mientras leo la nota. Ha escrito eso. Lo ha escrito. Me lo ha escrito a mí.

Es un beso.

En el hospital te dicen que no rebobines una y otra vez tus pensamientos, ni vuelvas sobre cosas ya pasadas. Que vivas en el presente, no en el pasado. Pero ¿cómo se hace eso cuando el chico que te gusta acaba, prácticamente, de besarte?

Cuando veo a la doctora Sarah en nuestra siguiente sesión, he revivido la escena como un millón de veces y ahora me pregunto si Linus no habrá querido únicamente animarme, o tener algo desternillante que contar a sus amigos, o si solo quería ser amable conmigo. Quiero decir que tal vez sienta pena por mí. ¿Fue un beso por piedad? Ay, Dios. Sí, fue un beso por piedad. (No es que yo sea experta en besos. He besado a un solo chico en toda mi vida, el año pasado en vacaciones, y fue asqueroso.)

La doctora Sarah escucha atentamente media hora mientras yo parloteo sin parar sobre Linus. Y entonces hablamos de «leer el pensamiento de los demás» y del «catastrofismo», como me imaginaba. A veces creo que yo también podría ser terapeuta.

—Sé lo que va a decirme —digo por fin—. Que no puedo leerle el pensamiento y que no debería intentarlo. Pero ¿cómo no voy a pensar en ello? Me *besó*. Bueno... más o menos. Sobre papel. —Me encojo de hombros, un poco avergonzada—. Seguramente está pensando que eso no cuenta.

—En absoluto —responde, muy seria—. El hecho de que fuera sobre papel no le resta valor. Un beso es un beso.

—Pero no he vuelto a saber nada de él y no tengo ni idea de qué está pensando, y eso me estresa mucho.

No contesta enseguida, y yo suspiro.

—Ya sé, ya sé. Tengo una enfermedad y es perfectamente tratable.

Se hace otro largo silencio. La doctora Sarah tensa un poco la boca como si estuviera a punto de sonreír.

—¿Sabes, Audrey? —habla por fin—. Lamento decírtelo, pero estresarse por lo que estará pensando un chico después de besarte puede que no sea una dolencia del todo tratable. *Del todo*, no.

◆ ◆ ◆

Y entonces, tres días después de lo de Starbucks, estoy tranquilamente sentada viendo la tele yo sola cuando Frank entra de pronto en el salón y dice:

—Ha venido Linus.

—Ah, vale. —Me incorporo, colorada—. ¿En serio? ¿Está aquí? Pero… —Trago saliva—. No os dejan jugar a LOC, así que… ¿Por qué ha…?

—Quiere verte a ti —contesta sin inmutarse lo más mínimo—. ¿Te importa? ¿No irás a asustarte?

—No. Sí. Digo… No me importa.

—Vale, porque está aquí. ¡Linus!

Algunos chicos darían a su hermana la oportunidad de peinarse. O al menos de cambiarse la camiseta vieja y sucia que he llevado puesta todo el día. Le estoy mandando ondas telepáticas asesinas cuando entra Linus y dice con cautela:

—Hola. Vaya, qué oscuro está esto.

En mi familia todo el mundo está tan acostumbrado a la oscuridad de mi guarida que había olvidado el aspecto que debe de tener para otros. Tengo siempre las cortinas echadas y la luz apagada, y la única iluminación es el parpadeo de la tele. Solo así me siento segura. Tan segura que por fin puedo quitarme las gafas.

—Sí, lo siento.

—No, no pasa nada. Eres de verdad un ruibarbo.

—Así me llamo.

Le veo sonreír a través de la penumbra. El resplandor de la tele hace que le brillen los dientes, y sus ojos son como dos esquirlas brillantes.

Estoy sentada en mi sitio de siempre en la alfombra y, pasado un momento, se acerca y se sienta a mi lado. Bueno, *justo* a mi lado no. A unos treinta centímetros. Creo que mi piel debe de emitir ondas como si fuera un murciélago, porque sé perfectamente qué posición ocupa con respecto a mí. Y mientras tanto en mi cabeza se repite como un zumbido la misma idea: *Me besó. Sobre papel. Más o menos. Me besó.*

—¿Qué estás viendo? —Mira la tele, donde una mujer trajeada está intentando encontrar algo que decir acerca de un champú de algas—. ¿La teletienda?

—Sí. La conversación me relaja.

De todo lo que veo en la tele, la teletienda es lo que más me tranquiliza. Hay, por ejemplo, tres personas en un plató hablando de lo maravillosa que es una crema hidratante. Nadie discute ni levanta la voz. Nadie descubre que está embarazada, ni hay ningún asesinato. Y tampoco hay risas enlatadas, que a mí, os lo aseguro, me suenan como si un taladro me estuviera perforando la cabeza.

—No te preocupes, sé que estoy loca —añado.

—¿Esto te parece una locura? —pregunta Linus—. Pues deberías conocer a mi abuela. Ella *sí* que está loca. Se cree que tiene veinticinco años. Cuando se mira al espejo piensa que le estamos gastando una broma pesada. Es incapaz de ver la realidad. Se pone minifaldas, quiere salir a bailar… Y nunca habrás visto a una abuela con tanto maquillaje como la mía.

—¡Suena alucinante!

—Es… Bueno, ya sabes. —Se encoge de hombros—. A veces es divertido y a veces, triste. Pero el caso es que no tiene veinticinco años. Es solo su cerebro enfermo, que le dice lo contrario, ¿no?

Como parece esperar una respuesta, le digo:

—Claro.

—Quise decírtelo antes. Después de lo de Starbucks. ¿Entiendes lo que quiero decir? —Parece muy comprensivo—. Mi abuela no tiene veinticinco años y tú no... Tú no eres todas esas cosas que te dice tu cerebro. *No* eres esas cosas.

De pronto entiendo lo que está haciendo, lo que intenta hacer.

—Claro —repito—. Sí, lo sé.

Y es verdad que lo sé. Aunque es más fácil saberlo cuando todas esas ideas horribles no te bullen en la cabeza como agua.

—Gracias —añado—. Gracias por... ya sabes. Por entenderme. Por darte cuenta.

—La verdad es que no lo entiendo del todo, pero...

—Sí que lo entiendes, más que la mayoría de la gente. En serio.

—Bueno... —De pronto parece avergonzado—. Entonces... ¿ya te sientes mejor?

—Mucho mejor. —Sonrío hacia donde está sentado—. Muchísimo mejor.

Las señoras de la teletienda han pasado a una picadora de verduras y durante un rato la vemos triturar zanahorias y repollos. Luego Linus dice:

—¿Qué tal te va con el contacto podal?

Al oír la palabra «contacto» me pongo tensa. *Contacto.* No solo sobre papel, sino de verdad.

No creáis que no he pensado en ello.

—No he vuelto a intentarlo —contesto haciendo un esfuerzo por hablar con naturalidad.

—¿Quieres que probemos?

—Vale.

Muevo el pie hasta que toca el suyo. Zapato con zapato, como la otra vez. Me preparo para derretirme, para ponerme histérica, para reaccionar de alguna manera totalmente vergonzosa. Pero lo raro es... que no pasa nada. Mi cuerpo no se retira asustado. Respiro con normalidad. Mi cerebro reptiliano está en plan zen, superrelajado. ¿Qué me está pasando?

—Es por la oscuridad —digo en voz alta, sin poder evitarlo—. Es por la *oscuridad*. —Me siento casi aturdida de alegría.

—¿El qué?

—Cuando está oscuro, puedo relajarme. Es como si el mundo fuera un lugar distinto. —Abro los brazos en la oscuridad y la siento en la piel como un cojín suave y envolvente—. Creo que podría hacer cualquier cosa si el mundo estuviera siempre a oscuras. Ya sabes. Estaría bien.

—Entonces deberías ser espeleóloga —sugiere él—. O minera.

—O murciélaga.

—O vampira.

—Ay, Dios, es verdad, sería una vampira *estupenda*.

—Menos por lo de chuparle la sangre a la gente.

—Puaj. —Digo que sí con la cabeza.

—¿No se vuelve monótono? Sangre humana todas las noches. ¿Es que nunca les apetece un plato de patatas fritas?

—Ni idea. —Noto que me entra la risa—. La próxima vez que vea un vampiro, se lo pregunto.

Vemos cómo la picadora de verduras deja paso a una vaporera de la que en esta última hora se han vendido 145 unidades.

—Entonces, teniendo en cuenta que estamos a oscuras y todo eso —plantea Linus tranquilamente—, ¿qué te parece si… practicamos el contacto de pulgares? Solo para ver si eres capaz. Como un experimento.

—Claro. —Digo que sí con la cabeza, pero noto que me da un pequeño vuelco el estómago—. Eh… Vale. ¿Por qué no?

Noto que su mano se desliza hacia la mía. Nuestros pulgares se encuentran y su piel es seca y cálida como yo me la esperaba. Su uña rodea la mía y yo juego a esquivarla, y él se ríe.

—Entonces, no hay problema con el contacto de pulgares.

Asiento con la cabeza.

—No hay problema.

No dice nada más, pero siento que desliza el pulgar hasta la palma de mi mano. Ahora nos tocamos de dedo a mano. Y luego de palma a palma. Su mano envuelve la mía y yo aprieto la suya.

Se acerca más, y con más decisión. Noto su calor a través del aire, junto a mi brazo y mi pierna. Estoy un poco nerviosa, pero no como estaba en Starbucks. No se me pasa ninguna idea loca por la cabeza. De hecho, no sé si estoy pensando en algo, aparte de preguntarme si todo esto es real y responderme: *Sí, es real.*

—¿El contacto de pantalones te parece bien? —murmura cuando enlaza su pierna con la mía.

—Sí, me parece bien —consigo responder.

Me pasa el brazo por los hombros y así llegamos al contacto de pelo con pelo. Y luego al contacto de mejilla con mejilla, y yo noto su cara ligeramente áspera cuando se desliza por la mía.

Y entonces nuestras bocas se tocan.

Linus no dice nada ni me pregunta si me parece bien. Yo tampoco digo nada. Pero me parece bien. Mejor que bien.

Después de besarnos, no sé, una eternidad, me abraza y me sienta sobre sus rodillas, y yo me acurruco contra él. Su cuerpo es cálido y sólido. Sus brazos me rodean con fuerza. Y su pelo huele bien. Y me cuesta muchísimo concentrarme en las ventajas de un robot de cocina con cuatro accesorios exclusivos, en oferta especial, solo hoy, por 69,99 libras.

◆ ◆ ◆

Lo peor de todo es que me quedé dormida. No sé si fue un bajón de adrenalina o el Clonazepam que me había tomado a la hora de comer, pero el caso es que me dormí. Cuando desperté, estaba tumbada en el suelo, despatarrada, mi madre me llamaba desde el vestíbulo y las señoras de la teletienda estaban hablando de una freidora mágica que reduce las calorías a la mitad. Y a mi lado había una nota.

Nos vemos pronto. xxx

He subido un nivel. No puedo describirlo de otra manera.

Si fuera una heroína de LOC, tendría, qué sé yo, atributos mejorados, o alguna arma extra superportente, o algo así. Soy más fuerte. Me siento más alta. Me recupero más deprisa. Ha pasado una semana desde que estuve viendo la teletienda con Linus y, sí, he tenido un momento malo, pero no me hundí tanto como otras veces. No lo vi todo tan negro.

Linus ha venido un par de veces y hemos visto la tele juntos y hemos charlado y cosas así, y es… Bueno, es guay. Ahora es viernes por la tarde y, aunque no voy al colegio, tengo una sensación de fin de semana. Hace calor y oigo a los niños jugando en los jardines. Desde la ventana de la cocina veo a Félix correteando por el césped desnudo, con una regadera en la mano.

Oigo el tintineo de una furgoneta de helados y estoy a punto de llamar a mamá para decirle que habría que comprarle un polo a Félix cuando entra en la cocina. Dando trompicones, más bien. Está tan pálida que parece *malva*. Y se agarra a la encimera como si fuera a caerse si no se agarra.

—¿Mamá? —La miro alarmada—. ¿Estás bien? —Enseguida me doy cuenta de que es una pregunta idiota. No está bien, está fatal—. Creo que deberías echarte un rato.

—Estoy bien. —Me dedica una débil sonrisa.

—¡Qué va! Has cogido un virus. Necesitas descansar e hidratarte. ¿Tienes fiebre? —Estoy intentando recordar todas las cosas que nos dice cuando estamos enfermos—. ¿Quieres una de esas infusiones antigripales?

—Una infusión... —Suspira con aspecto de alma en pena—. Sí, estaría bien.

—Yo cuido de Félix —me ofrezco con firmeza—. Tú vete a la cama. Enseguida te subo el paracetamol.

Pongo la tetera al fuego y estoy revolviendo en los armarios en busca de la caja de infusiones cuando llega Frank a casa. Lo noto por el estruendo que viene del vestíbulo. Son su mochila, su bolsa de deporte, su bate de críquet y todos esos cachivaches que tiene, cayendo al suelo desde una gran altura. Entra en la cocina cantando una canción sin melodía y quitándose la corbata.

—¡Qué guay! —Lanza un puñetazo al aire canturreando—: ¡Es fin de semaaaaana! ¿Qué hay de cena?

—Mamá está mala —le anuncio—. Tiene la gripe o algo así. Le he dicho que se vaya a la cama. Deberías salir a comprarle... —Me quedo pensando un momento—. Uvas.

—Pero si acabo de llegar. —Pone cara de fastidio—. Y estoy muerto de hambre.

—Pues cómete un sándwich y *luego* te vas a comprarle unas uvas.

—¿Y de qué van a servir las uvas?

—No sé —contesto con impaciencia—. Pero es lo que se toma cuando uno está enfermo.

He preparado la infusión y he encontrado un par de galletas, y lo pongo todo en una bandeja.

—Trae también zumos —le pido—. Y ¿cómo se llama? Nurofen. Anótalo.

Me vuelvo para asegurarme de que me está escuchando y veo que no está escribiendo nada. Está allí parado, mirándome con una cara muy rara y muy poco propia de él. Tiene la cabeza ladeada y parece fascinado, o intrigado, o *algo* así.

—¿Qué? —digo poniéndome a la defensiva—. Mira, ya sé que es viernes, pero mamá está enferma.

—Sí, lo sé —contesta—. No es eso. Es que… —Duda un momento—. ¿Sabes una cosa, Aud? Cuando volviste del hospital, no habrías hecho esto. Has cambiado.

Estoy tan sorprendida que no sé qué decir. Primero, no sabía que Frank se fijara tanto en mí. Y segundo, ¿es verdad lo que dice? Intento echar la vista atrás, pero está todo un poco borroso. La doctora Sarah me ha dicho que es un efecto colateral de la depresión: tu memoria se hace añicos. Lo cual puede ser bueno o malo, ya sabéis.

—¿En serio? —pregunto por fin.

—Te habrías limitado a esconderte en tu habitación. Por cualquier cosa te entraba el pánico, hasta si sonaba el timbre de la puerta. Y ahora fíjate. Has tomado las riendas. Lo tienes todo controlado. —Señala la bandeja que estoy sujetando—. Es… En fin… Está muy bien. Es genial.

—Gracias —digo, cortada.

—No hay de qué.

Él también parece cortado. Entonces abre la nevera, saca un brik de leche con cacao y se pone los auriculares del iPod. Deduzco que la conversación se ha terminado.

Pero, mientras subo las escaleras con la bandeja, voy recordándola. *Has tomado las riendas. Lo tienes todo controlado.* Solo de pensarlo resplandezco por dentro. No sentía que tuviera algo controlado desde hacía… una *eternidad*.

Toco a la puerta y entro en el cuarto de mis padres. Mamá está tumbada en la cama, con los ojos cerrados. Creo que se ha quedado dormida. Debía de estar rendida.

Dejo la bandeja con todo el cuidado que puedo sobre su tocador. Hay un montón de fotografías enmarcadas sobre la madera pulida y me quedo mirándolas un rato. Mamá y papá el día de su boda. Frank y yo de bebés. Y una de mamá con todos sus compañeros de trabajo, cuando ganaron no sé qué premio. Mamá lleva una chaqueta rosa, sostiene un trofeo de metacrilato y sonríe de oreja a oreja. Está absolutamente radiante.

Trabaja de consultora de márketing free lance, o sea que hace proyectos por todo el país. Unas veces está muy liada y otras tiene semanas enteras libres, y siempre ha sido así. Una vez vino a mi colegio a dar una charla sobre su trabajo y nos enseñó el logotipo de un supermercado que había rediseñado y a todo el mundo le pareció impresionante. Lo digo porque es guay. Su trabajo mola. Y ahora, al mirar esta foto, me pregunto de pronto cuándo fue la última vez que trabajó.

Estaba metida en un proyecto cuando me puse enferma. La recuerdo vagamente hablando de ello con papá. La oí decir: «Lo dejo. No pienso ir a Mánchester». En aquel momento solo sentí alivio. No quería que se fuera a Mánchester. No quería que se fuera a ninguna parte.

Pero ahora…

Vuelvo a mirar la foto, la cara feliz y radiante de mamá, y luego miro su cara de ahora, tendida en la cama, cansada y dormida. Su cara real. Hasta ahora no se me había ocurrido que hubiera dejado de trabajar por completo. Pero de pronto me doy cuenta de que, desde que estoy en casa, no ha ido a su despacho ni una sola vez.

Tengo la sensación de estar saliendo lentamente de la niebla y fijándome en cosas en las que antes no me fijaba. Lo que me dijo la doctora Sarah es cierto: cuando estás enferma, te obsesionas contigo misma. No ves nada de lo que sucede a tu alrededor. Ahora, en cambio, estoy empezando a darme cuenta de cosas.

—¿Audrey?

Me vuelvo y veo que mamá se ha incorporado un poco, apoyada en los codos.

—¡Hola! —la saludo—. Creía que estabas dormida. Te he traído la infusión antigripal.

La cara de mamá se pliega en una sonrisa, como si acabara de darle una noticia estupenda.

—Cariño —dice—, qué *buena* eres.

Acerco la bandeja y la miro mientras se toma la infusión.

Parece tan distraída que tengo la sensación de que va a dormirse otra vez, pero de pronto fija la mirada en mí.

—Audrey —dice—, ese Linus…

Noto al instante que se alzan mis barreras defensivas. No ha dicho «Linus» sin más. Ha dicho «ese Linus».

—¿Sí? —respondo intentando aparentar naturalidad.

—¿Es…? —Se interrumpe—. ¿Estáis…? ¿Es un amigo especial?

Noto cómo me encojo por dentro. No quiero hablar de Linus con mi madre.

—Algo así. —Aparto la mirada—. Siempre dices que tengo que hacer amigos. Así que… eso he hecho.

—Y es fantástico. —Mamá vacila—. Pero debes tener cuidado, Audrey. Eres vulnerable.

—La doctora Sarah dice que tengo que ponerme retos —contesto—. Que tengo que empezar otra vez a trabar relaciones fuera de la familia.

—Lo sé. —Parece preocupada—. Pero creo que preferiría que empezaras con… Bueno, con una amiga.

—Claro, porque las chicas son más simpáticas, dulces y encantadoras —replico sin poder refrenarme, y ella suspira.

—*Touché.* —Bebe un sorbito de infusión y hace una mueca de asco—. Bueno, no sé. Supongo que si ese Linus es buen chico…

—Es muy majo —afirmo—. Y no se llama «ese Linus». Se llama Linus a secas.

—¿Y qué hay de Natalie?

Natalie. Una parte de mí muy pequeñita se arruga automáticamente al oír su nombre. Pero por primera vez desde hace siglos también siento una especie de anhelo. Una especie de nostalgia de nuestra amistad. O de tener una amiga, sin más.

Se hace el silencio en la habitación mientras intento ordenar mis ideas enmarañadas. Mamá no me presiona. Sabe que a veces tardo mucho en llegar a una conclusión. Es muy paciente.

Tengo la sensación de haber hecho un viaje muy largo y solitario, un viaje que ninguna de mis amigas podría comprender, ni siquiera Natalie. Creo que antes, hasta cierto punto, las odiaba por eso. Ahora, en cambio, todo me parece más fácil. Tal vez podría ver a Natalie alguna vez. Quizá podríamos salir a dar una vuelta. Puede que no importe mucho que no pueda entender por lo que he pasado.

Hay una foto en el tocador de mamá en la que estamos Natalie y yo vestidas para la fiesta de fin de curso del año pasado, y me descubro mirándola. Nat lleva un vestido rosa de encaje y yo uno azul. Nos estamos riendo y lanzando confeti con un lanza-confeti. Tuvimos que hacer la foto como seis veces, hasta que conseguimos lanzar el confeti. Fue idea de Nat. Suele tener ideas así, divertidas. Sabe hacerte reír.

—A lo mejor la llamo —digo por fin—. Alguna vez.

Miro a mamá para ver cómo reacciona, pero se ha quedado dormida. El vaso medio lleno de infusión antigripal se ladea peligrosamente en la bandeja, y lo cojo antes de que se vuelque. Lo dejo en su mesilla de noche por si se despierta, salgo de puntillas de la habitación y bajo las escaleras sintiéndome llena de nuevas energías.

—Frank —digo al entrar en la cocina—, ¿mamá ha dejado de trabajar?

—Sí, creo que sí.

—¿Para siempre?

—No sé.

—Pero es buenísima en su trabajo.

—Sí, pero no puede salir, ¿no?

Aunque no lo dice, entiendo lo que quiere decir. *No puede salir por tu culpa.*

Por mi culpa, mamá tiene que quedarse en casa, siempre angustiada y leyendo el *Daily Mail.* Por mi culpa parece tensa y cansada, en vez de feliz y radiante.

—Debería trabajar. Le gusta su trabajo.

Frank se encoge de hombros.

—Bueno, supongo que volverá a trabajar. Ya sabes…

Y otra vez la frase queda colgando en el aire: *Cuando tú te recuperes.*

—Voy a comprar las uvas —dice, y sale de la cocina.

Yo me quedo sentada, mirando mi reflejo borroso en la puerta de acero inoxidable de la nevera. *Cuando me recupere.* Bueno, entonces… Recuperarme está en mi mano.

INT. ROSEWOOD CLOSE Nº 5. DÍA

Papá está hablando por teléfono en la mesa de su despacho.

> PAPÁ
> (al teléfono)
> Sí. Ya. Voy a comprobarlo. (Teclea en
> el ordenador.) Vale, ya lo veo.

Frank irrumpe en la habitación sin llamar.

> FRANK
> Papá, tengo que buscar una cosa para
> mis deberes de geografía.

> PAPÁ
> Tendrás que buscarla luego. Perdona,
> Mark...

> FRANK
> Pero no puedo hacer los deberes hasta
> que busque esto.

> PAPÁ
> Hazlo después, Frank.

Frank le mira con los ojos como platos.

FRANK

Siempre me dices que dé prioridad a los deberes. Me dices todo el rato: «No pospongas los deberes, Frank». Y ahora me dices que los deje para luego. ¿No te parece un poco contradictorio? ¿No se supone que los padres tienen que ser coherentes?

PAPÁ
(suspirando)
Está bien, busca lo que sea. Mark, ahora te llamo.

Deja sitio a Frank delante del ordenador. Frank teclea un par de veces, mira una página web y anota algo.

FRANK

Gracias.

Cuando se marcha, Papá marca otra vez y vuelve a abrir su documento en el ordenador.

PAPÁ
Perdona, Mark. Bueno, como te iba diciendo, estas cifras no tienen ningún sentido...

Se para al ver que Frank entra otra vez.

FRANK
Tengo que mirar la población de Uruguay.

Papá tapa el teléfono con la mano.

PAPÁ

¿Qué?

FRANK

Uruguay. La población.

Papá se queda mirándole, exasperado.

PAPÁ

¿De verdad es imprescindible ahora mismo?

Frank parece dolido.

FRANK

Es para los deberes, papá. Siempre dices que lo que haga en el colegio afectará al resto de mi vida. Usaría *mi* ordenador, pero... En fin...
(Fija la mirada en el suelo, apesadumbrado.)
Fue decisión de mamá. Nunca sabremos por qué lo hizo.

PAPÁ

Frank...

FRANK

No, si no pasa nada. Tú decides si esa llamada te importa más que mi educación.

PAPÁ
(bruscamente)
Muy bien. Búscalo. (Se levanta.) Mark, tendremos que dejarlo para más tarde. Lo siento.

FRANK
(frente al ordenador)
Debería estar en el historial...

Abre una página titulada «Financia tu Alfa Romeo».

FRANK
¡Ostras, papá! ¿Vas a comprarte un
Alfa Romeo? ¿Lo sabe mamá?

PAPÁ
(ásperamente)
Eso es privado. No es nada que...

Se interrumpe al ver que Frank empieza a teclear.

PAPÁ
Frank, ¿qué estás haciendo? ¿Qué le
has hecho a mi pantalla?

Su insulso fondo de pantalla de una playa ha sido
reemplazado por un voluptuoso personaje femenino de
LOC.

FRANK
Necesitabas un fondo de pantalla nuevo. El tuyo era una antigualla. Y ahora necesitamos unos cuantos ajustes
de sonido...

Toca el ratón y empieza a sonar *Boomshakalaka* a todo
volumen.

Papá pierde los nervios.

PAPÁ

¡Ya está bien! Este es mi ordenador...
(Se levanta y se acerca a la puerta.)
¿Anne? ¿Anne?

INT. ROSEWOOD CLOSE Nº 5. DÍA

Desde la puerta de la cocina vemos a papá y mamá discutiendo en voz baja.

> PAPÁ
> Necesita tener su ordenador. No pode-
> mos seguir compartiendo el mío o aca-
> baré por matarle.

> MAMÁ
> ¡No *necesita* un ordenador!

> PAPÁ
> Lo necesita para hacer los deberes.
> Como todos los chicos de su edad.

> MAMÁ
> Bobadas.

> PAPÁ
> ¡Bobadas, no! ¿Sabías que ahora to-
> man apuntes usando ordenadores por-
> tátiles? Ni siquiera saben para qué
> sirven los bolis. Creen que son lápices
> ópticos de los que gotea una sustancia
> rara. Ya no saben escribir a mano. Se
> acabó la caligrafía.

MAMÁ

Pero ¿qué estás diciendo? ¿Que los niños necesitan ordenadores? ¿Que es materialmente imposible aprender nada sin un ordenador? ¿Y qué hay de los libros? ¿Y de las bibliotecas?

PAPÁ

¿Cuándo fue la última vez que fuiste a una biblioteca? Están llenas de ordenadores. Así es como aprende la gente ahora.

MAMÁ
(indignada)

¿Me estás diciendo que en la sabana africana los niños no pueden aprender a leer a no ser que tengan un ordenador? ¿Es eso lo que me estás diciendo?

PAPÁ
(perplejo)

¿En la sabana africana? ¿Qué tiene que ver la sabana africana con esto?

MAMÁ

¿Se necesita un ordenador para leer buena literatura?

PAPÁ

Pues la verdad es que me está gustando mucho mi Kindle...

Se fija en la cara que pone mamá.

MAMÁ

Digo no. Decididamente, no.

MI SERENA Y ENCANTADORA FAMILIA – TRANSCRIP-
CIÓN DEL DOCUMENTAL

INT. ROSEWOOD CLOSE Nº 5. DÍA

Una mano llama a la puerta del cuarto de Frank.

                    FRANK
     ¿Quién es?

                    AUDREY (VOZ EN OFF)
     ¡Yo!

                    FRANK
     Vale.

Se abre la puerta y la cámara entra a trompicones en
la habitación, una especie de vertedero de cosas de adolescente. Frank está sentado junto a la ventana, jugando con una consola Atari de la década de 1980. Se oye
un suave blip, blip.

                    AUDREY (V.E.O.)
     Podrías haber buscado la población de
     Uruguay en tu teléfono.

                    FRANK
     Sí.

                    AUDREY (V.E.O.)
     Así que solo querías fastidiar a papá.

                    FRANK
     Necesito un ordenador.

La cámara enfoca la consola Atari.

                    AUDREY (V.E.O.)
          ¿De dónde has sacado eso?

                    FRANK
          De la buhardilla.

Llaman a la puerta y, sin perder un instante, Frank
echa un chándal encima de la consola, gira su silla y
agarra un libro.

Entra mamá y pasea la mirada por la habitación.

                    MAMÁ
          Frank, esta habitación es un desastre.
          Tienes que ordenarla.

Él se encoge de hombros.

                    MAMÁ
          Bueno, ¿qué estás haciendo?

                    FRANK
          Pues... ya sabes.

Mira a cámara.

                    FRANK
          Lo de siempre.

Lo estoy consiguiendo. Estoy mejor. No es que esté dando pasitos de bebé: es que estoy dando pasos de gigante. Han pasado tres semanas y me siento más capaz que nunca de controlar la situación. He estado en Starbucks tres veces, en Costa una y en The Ginger Biscuit otra, a tomar un batido. ¡Sí, ya sé que es genial! La doctora Sarah me dijo que estaba haciendo grandes progresos y luego añadió que intentara no precipitarme y bla, bla, bla, pero se notaba que estaba impresionada.

¡Hasta he comido en una pizzería! Tuve que marcharme antes del postre porque de pronto el local se llenó de ruido y me pareció demasiado amenazador, pero aun así aguanté toda la cuatro estaciones. Mamá y papá también vinieron, y Linus, y Frank, y Félix, y fue como si fuéramos… Ya sabéis. Un grupo de gente normal. Si no fuera porque yo estaba allí sentada con mis gafas de sol puestas, como una triste aspirante a famosilla. Se lo dije a mamá y contestó: «¿Tú crees que tienes una pinta muy rara? ¡Pues fíjate en Félix!»

Y tenía razón, porque mi hermanito llevaba puesto su amado disfraz de tigre con máscara incluida, y le dio una rabieta cuando le dijimos que no iba a poder comer pizza con ella puesta.

La verdad es que me sentí mejor. De hecho, hay un montón de cosas que hacen que me sienta mejor. Ver a Linus me sienta de maravilla, desde luego. Nos escribimos mensajes todo el tiempo, viene a casa todos los días después de clase y hemos empezado a jugar al pimpón en el jardín como dos obsesos. Hasta Frank juega con nosotros a veces.

Y lo de hoy ha sido alucinante, porque Linus me ha hecho un regalo. Una camiseta ilustrada con un tallo de ruibarbo que ha sacado de Internet. Papá y mamá han preguntado por qué un ruibarbo y él me ha guiñado un ojo y ha dicho:

—Cosas nuestras.

Cosas nuestras.

No sé qué es lo que me hace más feliz: la camiseta o que haya dicho «cosas nuestras». Es la primera vez que me pasa algo así con un chico. No sé qué es esto exactamente, pero todavía me siento radiante. Papá y mamá han salido, Frank está haciendo los deberes, Félix ya está dormido y yo me siento como rebosante de entusiasmo, incapaz de estarme quieta. Me paseo por la casa con mi camiseta y tengo la sensación de que necesito compartir todo esto con alguien. Hablar con alguna persona. Ver a alguien.

Natalie. Quiero ver a Natalie.

Al pensarlo, noto como si un rayo de luz se encendiera en mi cerebro: es una idea tan positiva que parpadeo deslumbrada. Quiero ver a Natalie. Quiero que vuelva mi amiga. Sí. Voy a hacerlo. Ahora mismo.

He estado a punto de llamarla un par de veces desde que tuve aquella conversación con mamá. Una vez hasta marqué la mitad de su número pero me acobardé en el último momento. Hoy, en cambio, puedo afrontarlo. Afrontarlo, como mínimo. Puede que mucho más.

Saco mi teléfono y marco su número antes de que me dé tiempo a cambiar de idea. Me lo sé de memoria aunque haga, no sé, mil años que no hablo con ella. La última vez que nos vimos fue aquel día horrible en el colegio. Ella estaba llorando y yo… yo ya no podía ni llorar. Así que no fue la mejor de las despedidas.

Le escribo:

> Hola, Nat, q tal? Yo mucho mejor. Me
> encantaría verte alguna vez. Auds. x

La respuesta llega unos treinta segundos después, como si Natalie hubiera estado esperando junto al teléfono todo este tiempo, todas estas semanas.

Y puede que así sea. Miro el texto pestañeando. Dice así:

> Ostras, Auds. He estado
> SUPERPREOCUPADA X TI. ¿Puedo
> pasarme por tu casa? ¿Puedo ir ahora
> mismo? Mi madre dice que x ella sí.
> Nat xxxxx

Contesto:

> Vale. Hasta ahora.

Y cinco minutos después, o eso parece, suena el timbre. Deben de haber pasado diez minutos. Más no, desde luego. Tiene que haber salido de su casa enseguida.

Abro la puerta y doy un paso atrás, un poco nerviosa. No porque no me alegre de verla, sino por todo lo que lleva en brazos. Ha traído una cesta de regalo de aceites de baño, un osito de peluche con un cartelito que dice RECUPÉRATE PRONTO, varios libros y revistas, unas tabletas de chocolate y una postal de tamaño gigante.

—Hola —digo con voz débil—. ¡Guau!

—Queríamos haber venido a verte antes —contesta precipitadamente—, pero tu madre dijo que… —Traga saliva—. Bueno, el caso es que ya habíamos comprado todas estas cosas y estaban ahí, en la entrada de casa… —Mira sus brazos cargados—. Ya sé que es un poco absurdo.

—Bueno… Entra.

Al entrar se queda mirando mis gafas de sol hasta que le digo:

—¿Pasa algo?

—Alguna gente del colegio me dijo que te había visto con eso. —Señala mis gafas—. Ya sabes, por la calle. Hasta cuando estaba lloviendo. Nadie sabe por qué las llevas todo el tiempo.

—Es solo... Bueno, ya sabes. —Me encojo de hombros, cortada—. Por estar enferma y todo esto.

—Ah. —Parece un poco asustada—. Ya, claro.

Entra, deja todas las cosas encima de la mesa de la cocina y me mira. Pasan unos segundos de silencio un poco violento e irritante. Solo se oye el tictac del reloj, y yo me pregunto si no habré cometido un error.

Estoy tensa como un gato. Recelosa. No es como me lo había imaginado, pero volver a ver a Nat me está haciendo recordar toda clase de cosas que había arrinconado en mi mente.

—Lo siento —dice con un hilillo de voz—. Lo siento, Auds, lo siento muchísimo...

—No. —Sacudo la cabeza. No quiero entrar en eso—. No tienes por qué disculparte.

—Pero debería haber... No hice... —Empiezan a correrle lágrimas por la cara—. Todavía no me creo que pasara lo que pasó.

—No importa. Mira, vamos a tomar algo.

Sirvo un poco de zumo de saúco para las dos. Debería haber imaginado que estaría angustiada. Yo ya he dejado atrás esa fase. O más bien he pasado por ella como he podido, a trancas y barrancas. Como diría la doctora Sarah, ya he hecho *ese trabajo. Lo he procesado.* Como si fuera una máquina de hacer queso en lonchas.

No creo que Nat haya procesado gran cosa. Cada vez que me mira, vuelven a saltársele las lágrimas.

—Y ahora estás enferma.

—Estoy bien. Estoy mucho mejor. ¡Tengo novio!

Vale, sí, ha sonado un poco brusco pero, sinceramente, si la he invitado, ha sido principalmente por eso: para decirle que tengo novio. Las lágrimas desaparecen al instante y se inclina hacia mí, llena de curiosidad.

—¿Tienes novio? ¿Del hospital?

Joder. ¿Qué se cree, que soy una chiflada que se ha enrollado con otro chiflado porque ahora ya no doy para más?

—No, del hospital no —replico con impaciencia—. Es Linus, ya sabes. Va a clase de Frank en el Cardinal Nicholls.

—¿Linus? ¿Dices… Atticus Finch? —Parece estupefacta.

—Exacto. Esto me lo ha regalado él. —Señalo mi camiseta—. Hoy mismo. ¿A que mola?

—¿Eso de la foto es ruibarbo? —pregunta desconcertada.

—Sí. Cosas nuestras —respondo tranquilamente.

—¡Guau! —Parece incapaz de asimilar la noticia—. Entonces… ¿Cuánto tiempo lleváis saliendo?

—Un par de semanas. Vamos a Starbucks y esas cosas. Bueno, es… Ya sabes. Bastante divertido.

—Creía que estabas, no sé, enferma de verdad. En la cama, vamos.

—Bueno, sí. —Me encojo de hombros—. Supongo que me estoy recuperando o algo así. —Abro una tableta de chocolate y la rompo en trocitos—. Bueno, cuéntame qué tal por el colegio.

Me obligo a preguntarlo a pesar de que la palabra «colegio» me deja una sensación desagradable en el cerebro. Una especie de huella venenosa.

—Pues… ahora todo es distinto —contesta vagamente—. No te lo creerías. Ahora que se han ido Tasha y toda esa panda, Katie ha cambiado *totalmente*. Ni siquiera la reconocerías. Y Chloe ya no se junta con Ruby, y ¿sabes que la señorita Moore también se fue? Ahora tenemos una directora nueva, y es genial… —De pronto interrumpe su parloteo—. Entonces, ¿vas a volver?

Es como si me hubiera dado un puñetazo en el estómago. La idea de volver a ese sitio me pone literalmente enferma.

—Voy a ir a la Academia Heath —le digo—. Voy a repetir curso porque he perdido mucho tiempo de clase. De todos modos era de las pequeñas de nuestro curso, así que no pasa nada…

—También podrías repetir en Stokeland —sugiere Nat, pero yo arrugo la nariz.

—Sería muy raro. Estar un curso por debajo de ti… Además… —Hago una pausa—. En Stokeland nos odian. Mis padres se enfadaron muchísimo con ellos. Convocaron una reunión del patronato y les pusieron verdes y las cosas se pusieron… Bueno, ya sabes. Desagradables. —Esto lo sé por Frank, *no* por mis padres—. Creen que el personal del colegio no manejó bien la situación.

—¡Pues claro que no! —Nat abre unos ojos como platos—. Lo dice todo el mundo constantemente. Mis padres siempre lo comentan.

—Bueno, pues… por eso. Sería muy raro volver.

Hago más trocitos con la tableta de chocolate y se los ofrezco. Coge uno, luego levanta la mirada y otra vez le corre una lágrima por la cara.

—Te echo de menos, Auds.

—Yo a ti también.

—Fue horrible cuando te marchaste. *De verdad*, horrible.

—Sí.

Se hace un silencio. Luego, sin saber cómo y sin previo aviso, nos abrazamos. Natalie huele a Herbal Essences, como siempre, y sigue teniendo esa manía de darte palmaditas en la espalda que hace que a mí también se me salten las lágrimas, por lo familiar que me resulta.

Echaba de menos abrazar y que me abrazaran. *Dios*, cuánto lo echaba de menos.

Cuando nos separamos, nos reímos las dos pero estamos también un poco llorosas. Suena el teléfono de Natalie y lo coge con impaciencia.

—Sí, mamá —dice escuetamente—. Va todo *bien*. Era mi madre —explica al dejar el teléfono—. Está fuera, esperando en el coche. Se suponía que tenía que mandarle un mensaje cada cinco minutos para decirle que iba todo bien.

—¿Por qué?

—Porque… ya sabes.

—No. ¿Qué?

—Ya sabes. —Se remueve, incómoda, y mira más allá de mí.

—No, no sé.

—Auds, *sí* que lo sabes. Porque eres...

—¿Qué?

—Mentalmente inestable —contesta casi susurrando.

—¿Qué? —Me quedo mirándola pasmada—. Pero ¿qué dices?

—Eres bipolar. —Natalie parece muy cortada—. Y la gente bipolar puede ser violenta. Mi madre estaba un poco preocupada.

—¡Yo no soy *bipolar*! —replico, incrédula—. ¿Quién te ha dicho eso?

—¿No eres bipolar? —Natalie se queda boquiabierta—. Pues mi madre me dijo que tenías que ser bipolar.

—Entonces, ¿crees que voy a atacarte? ¿Crees que no deberían haberme dejado salir del hospital y que tendría que llevar puesta una camisa de fuerza? —Intento conservar la calma—. He conocido a gente bipolar, Nat, y, lo creas o no, son absolutamente pacíficos.

—¡Mira, lo siento! —Parece angustiada—. Pero ¿qué quieres?, no sabíamos qué te pasaba.

—¿Mi madre no os *dijo* lo que me pasaba? ¿No os lo explicó?

—Bueno... —Parece más cortada aún—. Mi madre pensó que le estaba quitando importancia. Y como ha habido tantos rumores...

—¿Cuáles? ¿Qué rumores?

Se queda callada y yo pongo mi tono más amenazador:

—¿Qué rumores, Nat?

—¡Vale! —dice apresuradamente—. Que habías intentado suicidarte... Y que te habías quedado ciega... Que ya no podías hablar... ¡Ah!, y alguien dijo que te habías arrancado tú misma los ojos y que por eso siempre llevas gafas de sol.

—¿Qué? —Estoy tan alucinada que me quedo sin respiración—. ¿Y tú te lo *creíste*?

—¡No! —Pone cara de tonta—. Claro que no me lo creí. Pero…

—¿Que me había arrancado los ojos? ¿Como Van Gogh?

—Eso fueron las orejas —puntualiza—. Solo una oreja.

—¿Qué *me había arrancado los ojos?* —Me noto un poco histérica. Dentro de mí bulle una risa extraña y dolorosa—. Te lo creíste, ¿a que sí, Nat? Te lo creíste.

—¡Te digo que no! —Se está poniendo toda colorada—. Claro que no. ¡Solo te lo estoy contando!

—Pero pensabas que era una maníaca homicida y bipolar.

—Ni siquiera sé qué significa «bipolar» —reconoce—. No es más que una de esas palabras.

—Una maníaca homicida y bipolar que se había arrancado los ojos. —Siento otra oleada de histeria—. No me extraña que tu madre esté esperando en el coche.

—¡Para ya! —gimotea—. ¡Yo no quería decir eso!

Natalie es una mema total y su madre es aún peor. Pero no puedo evitar sentir una oleada de cariño al verla así, tan agobiada y triste y sin saber qué decir. La conozco desde que teníamos seis años, y ya entonces era una ilusa que se creía que mi padre era de verdad Papá Noel.

—Estoy bien —digo por fin, dejándola tranquila—. No pasa nada. No te preocupes.

—¿En serio? —Me mira con ansiedad—. Ay, Dios, Auds, lo siento. Tú *sabes* que yo no sé nada de nada. —Se muerde el labio y se queda pensando un momento—. Entonces, si no eres bipolar, ¿qué es lo que te pasa?

La pregunta me pilla por sorpresa. Tengo que pensar unos segundos antes de responder.

—Me estoy recuperando —digo por fin—. Eso es lo que me pasa. —Cojo lo que queda de la tableta de chocolate y la parto en dos trozos—. Venga, vamos a acabarnos esto antes de que lo vea Frank.

A la doctora Sarah le ha encantado la historia de la maníaca homicida bipolar.

Bueno, digo que le ha «encantado» pero en realidad solo gruñe, se lleva las manos al pelo y dice:

—¿En serio?

Y la veo anotar en su portátil: *Programa de divulgación: ¿colegios? ¿¿¿¿EDUCAR????*

Aun así, me río. Porque *tiene* gracia, aunque también sea un fastidio. Está clarísimo.

Últimamente me río mucho más cuando voy a la consulta de la doctora Sarah. Y hablo *un montón*. Durante mucho tiempo, parecía que ella tenía muchas más cosas que contar que yo. Que ella era quien hablaba y yo quien escuchaba. (Para ser sincera, yo no tenía unas ganas locas de comunicarme al principio, cuando la conocí. Y para ser aún más sincera, en nuestra primera sesión ni siquiera quería entrar en la consulta, y no digamos mirarla o hablar con ella.) Ahora es al revés: ¡tengo tantas cosas que contarle…! De Linus, de Natalie, de mis salidas, de la vez que me monté en el autobús y no me agobié ni un poquito…

—Así que me parece que ya he terminado —digo al concluir mi último relato—. Estoy lista.

—¿Lista?

—Curada.

—Ya. —Da unos toquecitos con su lápiz sobre la mesa pensativamente—. O sea que…

—Ya sabe. Estoy bien. Vuelvo a ser normal.

—Estás haciendo muchísimos progresos, desde luego. Estoy encantada, Audrey. De verdad, encantada.

—No, progresos solamente, no —replico con impaciencia—. Es que he vuelto a ser normal. Bueno, ya sabe, prácticamente.

—Ajá. —La doctora Sarah siempre hace una pausa cortés antes de llevarme la contraria—. Todavía no has vuelto al colegio —señala—. Sigues llevando gafas de sol oscuras. Y sigues medicándote.

—Bueno, sí, he dicho «prácticamente». —Noto un pinchazo de ira—. No hace falta que se ponga tan negativa.

—Audrey, solo quiero que seas realista.

—¡Y lo soy!

—¿Recuerdas la gráfica que dibujé? ¿La línea aserrada?

—Sí, bueno, pero esa gráfica ya es agua pasada —contesto—. La de ahora es esta.

Me levanto, me acerco decidida a la pizarra blanca y dibujo una línea recta ascendente, directa a las estrellas.

—Esta soy yo. Se acabaron los bajones. A partir de ahora, solo voy hacia arriba.

Ella suspira.

—Audrey, me encantaría que fuera así. Pero la inmensa mayoría de los pacientes que se recuperan de un episodio como el tuyo sufren recaídas. Y no pasa nada. Es normal.

—Pues yo ya he pasado todas mis recaídas. —La miro con determinación—. Se acabaron las recaídas, ¿vale? No voy a tener más. A mí no me va a pasar.

—Sé que estás molesta, Audrey…

—Estoy pensando en positivo. ¿Qué tiene de malo?

—Nada. Pero no te excedas. No te impongas presiones innecesarias. El riesgo está en que tú misma te provoques una recaída.

—Estoy bien —afirmo rotundamente.

—Sí, estás bien. —Asiente con la cabeza—. Pero también eres frágil. Piensa en un plato de porcelana arreglado al que aún no se le ha secado del todo el pegamento.

—¿Yo soy un *plato*? —pregunto con sorna, pero ella no se enfada.

—Hace un par de años tuve una paciente muy parecida a ti, Audrey. Estaba en la misma fase de recuperación que tú. Decidió ir a Disneyland París a pesar de que se lo desaconsejé. —Pone cara de fastidio—. ¡Disneyland, nada más!

Hasta pensar en Disneyland hace que me encoja por dentro, aunque no pienso decírselo a ella.

—¿Qué pasó? —pregunto sin poder resistirme.

—Fue demasiado para ella. Tuvo que adelantar la vuelta. Y entonces sintió que había fracasado. Su estado anímico alcanzó el punto más bajo hasta ese momento, y eso no le hizo ningún bien a su recuperación.

—Bueno, yo no voy a ir a Disneyland. —Cruzo los brazos—. Así que…

—Bien. Sé que eres una chica sensata. —Mientras me observa tensa la boca—. En cualquier caso, has recuperado tu ímpetu. Y va todo bien, ¿verdad?

—Va todo bien.

—Y Linus sigue… —interrumpe delicadamente la frase.

—Linus. —Asiento yo—. Sigue siendo Linus. Me ha pedido que la salude de su parte, por cierto.

—Ah. —Parece sorprendida—. Pues dile que igualmente.

—Y también me ha dicho que le diga que buen trabajo.

Se hace un silencio y en su cara se dibuja una sonrisilla.

—Pues también puedes decirle que igualmente. Me gustaría conocerlo alguna vez.

—Sí, bueno, no se haga ilusiones —digo encogiéndome de hombros con cara de palo—. Es mío.

MI SERENA Y ENCANTADORA FAMILIA – TRANSCRIP-
CIÓN DEL DOCUMENTAL

INT. ROSEWOOD CLOSE Nº 5. DÍA

PLANO LARGO: Linus y Félix están sentados en el jardín. Entre ellos hay un tablero de ajedrez. Parecen estar jugando una partida.

La cámara se acerca y empiezan a oírse sus voces. Félix mueve una pieza y mira a Linus con aire triunfal.

                         Félix
          Ajedrez

Linus mueve otra pieza.

                         LINUS
          Ajedrez.

Félix mueve una pieza.

                         Félix
          Ajedrez.

Linus mueve una pieza.

                         LINUS
          Ajedrez.

Mira muy serio a Félix.

                         LINUS
          El juego que has inventado es genial,
          Félix.

Félix le sonríe de oreja a oreja.

                    Félix
        Ya lo sé.

                    LINUS
        ¿Cómo dices que se llama?

                    Félix
        Cuadrados.

Linus se esfuerza por contener la risa.

                    LINUS
        Eso es: cuadrados. Entonces, ¿por qué
        no decimos «cuadrados» cuando move-
        mos las fichas?

Félix le mira con cara de pena, como si fuera un poco
tonto.

                    Félix
        Porque se dice «ajedrez».

Linus mira a cámara.

                    LINUS
        Eso lo aclara todo.

Mamá sale al jardín.

                    MAMÁ
        ¡Linus! ¡Estás aquí! Qué maravilla.
        Oye, tú hablas alemán, ¿verdad?

LINUS
(con recelo)

Un poco.

MAMÁ

¡Estupendo! Entonces ven a ayudarme
a descifrar las instrucciones del lavavajillas nuevo. Está todo en alemán.
En *alemán*, habrase visto. Si no te importa...

LINUS

Eh... Vale.

Cuando se levanta, Félix se agarra a su pierna.

Félix

¡Li-nus! ¡Vamos a jugar a cuadrados!

En ese momento sale Frank al jardín blandiendo una
revista de videojuegos.

FRANK

¡Linus, tienes que ver esto!

AUDREY (V.E.O.)

Pero ¿qué le pasa a esta familia? De-
jad de intentar robarme el novio todos,
¿vale?

La doctora Sarah dice que tengo que intentar interactuar con más desconocidos. Que no basta con que vaya a un restaurante, me esconda detrás de la carta y deje que los demás pidan por mí. (¿Cómo lo habrá adivinado?) Que tengo que hablar con personas extrañas sin perder los nervios. Esos son mis deberes. Así que Linus y yo estamos sentados en Starbucks y él está eligiendo a personas al azar para que me acerque a hablar con ellas.

En el hospital hacíamos toda clase de psicodramas con el mismo objetivo. Pero un psicodrama es un psicodrama. Te sientes como una *idiota*. Dios mío, qué vergüenza pasé cuando tuve que fingir que «discutía» con un chico flacucho al que prácticamente le daba un ataque de pánico solo con que le miraras. Y los psicólogos, que hacían de apuntadores cuando se nos agotaban las ideas, y me decían: «Atención a tu lenguaje corporal, Audrey».

Total, que lo de los psicodramas es una caca pero esto en cambio es bastante divertido. Porque vamos a hacerlo por turnos: primero yo y luego Linus. Es como jugar a atrevimiento, beso o verdad.

—Vale, ese tío de allí.

Linus señala al chico que está sentado a la mesa del rincón, solo, tecleando en un portátil. Tiene veintitantos años, perilla y camiseta gris, y lleva uno de esos bolsos de cuero para hombre tan guays que Frank detesta.

—Acércate a él y pregúntale si tiene wifi.

Noto una burbuja de pánico que intento tragarme. El chico parece absorto en su trabajo. No creo que quiera que le interrumpan.

—Parece que está muy ocupado —digo—. ¿Por qué no eliges a otra persona? ¿Qué tal esa señora mayor?

Sentada a la mesa de al lado hay una señora con el pelo blanco y expresión dulce que ya nos ha sonreído una vez.

—Demasiado fácil —contesta Linus con decisión—. No haría falta ni que le dirigieras la palabra: lo diría todo ella. Acércate a ese tío y pregúntale por el wifi. Yo te espero aquí.

Todo mi cuerpo me dice que no vaya, pero Linus está ahí sentado, mirándome, así que obligo a los músculos de mis piernas a moverse. De algún modo me las arreglo para cruzar la cafetería y ahora estoy delante del chico, pero aún no me ha mirado. Sigue tecleando con el ceño fruncido.

—Eh, hola... —consigo decir.

Tac-tac-tac-frunce el ceño.

—¿Hola? —pruebo otra vez.

Tac-tac-tac-frunce el ceño. Ni siquiera me mira.

Así que me dan ganas de dar marcha atrás. Pero Linus me está mirando. Tengo que llegar hasta el final.

—Perdona. —Me sale la voz tan fuerte que casi doy un brinco de miedo, y por fin levanta la cabeza—. Quería saber si tienes wifi.

—¿Qué? —Frunce el ceño.

—Wifi—. ¿Tienes wifi aquí?

—Madre mía, estoy intentando *trabajar*.

—Ya. Perdona. Solo quería saber...

—Si tengo wifi. ¿Es que estás ciega? ¿No sabes leer o qué? —Señala un cartel que hay en el rincón, con la contraseña del wifi de la cafetería. Entonces se fija en mis gafas—. ¿Eres ciega *de verdad*? ¿O solo subnormal?

—No, no soy ciega. —Me tiembla la voz—. Solo era una pregunta. Perdona que te haya molestado.

—Cretina de los cojones —mascula mientras sigue tecleando.

Se me saltan las lágrimas y me tiemblan las piernas cuando retrocedo. Pero levanto la barbilla. No voy a derrumbarme: estoy decidida. Cuando vuelvo a la mesa me obligo a poner una sonrisa tensa.

—¡Lo he conseguido!

—¿Qué te ha dicho? —pregunta Linus.

—Me ha llamado «cretina de los cojones». Y también «ciega» y «subnormal». Aparte de eso, ha estado encantador.

Las lágrimas han empezado a correrme por las mejillas y Linus me mira alarmado.

—¡Audrey!

—No, si estoy bien —contesto con vehemencia—. Estoy bien.

—Gilipollas. —Linus mira con rabia al tipo de la camiseta gris—. Si no quiere que le molesten, que no venga a sentarse a un sitio público. ¿Sabes cuánto se está ahorrando en alquiler? Pide un café y se pasa aquí una hora, y encima espera que todo el mundo pase de puntillas a su lado. Si quiere un despacho, que se lo pague. Será mamón.

—El caso es que lo he hecho —digo yo alegremente—. Ahora te toca a ti.

—Voy a acercarme a ese mismo tipo. —Se levanta—. No se va a ir de rositas ese capullo.

—¿Qué vas a decirle? —pregunto alarmada. Noto en el pecho un miedo que me ahoga, y ni siquiera sé de qué estoy asustada. Es solo que no quiero que Linus se acerque a ese tipo. Quiero marcharme ya—. Siéntate —le suplico—. Vamos a dejar de jugar a esto.

—El juego no ha terminado aún. —Me guiña un ojo y se acerca a la mesa del rincón con el café en la mano—. ¡Hola! —saluda al chico con voz infantil, tan alto que la mitad de la cafetería se vuelve para mirarle—. Eso es un Mac, ¿verdad?

El chico levanta la mirada como si no pudiera creerse que hayan vuelto a interrumpirle.

—Sí —contesta en tono cortante.

—¿Podrías explicarme qué ventajas tiene un Mac respecto a otras marcas de ordenadores? —añade Linus—. Porque quiero comprarme un ordenador. ¿El tuyo es de los buenos? Seguro que sí. —Se sienta frente a él—. ¿Me dejas que lo pruebe?

—Mira, estoy ocupado —le espeta el tipo—. ¿Puedes sentarte en otro sitio?

—¿Estás trabajando aquí?

Se hace un silencio mientras el tipo sigue tecleando y Linus se inclina hacia delante.

—¿Estás trabajando? —repite con voz de bocina.

—¡Sí! —Le mira enfadado—. Estoy trabajando.

—Mi padre trabaja en un despacho —afirma Linus como si tal cosa—. ¿Tú no tienes despacho? ¿A qué te dedicas? ¿Podría ser como tu sombra? ¿Te importaría venir a dar una charla a mi colegio? Anda, mira, tienes el vaso vacío. ¿Vas a pedir otro café? ¿Qué era, un capuchino? A mí me gusta más el cortado. ¿Por qué lo llamarán «cortado»? ¿Tú lo sabes? ¿Puedes buscarlo en Internet?

—Oye, chaval. —El tipo cierra de golpe el portátil—. Estoy trabajando. ¿Te importaría buscarte otra mesa?

—Pero esto es Starbucks —responde Linus en tono de sorpresa—. Aquí puede sentarse uno donde quiera. Está permitido. —Llama con un gesto a una camarera que está por allí cerca, recogiendo vasos vacíos—. Perdona, ¿puedo sentarme donde quiera? ¿Es así como funciona Starbucks?

—Claro —contesta la chica, y le sonríe—. Donde más te guste.

—¿Has oído eso? Donde más me guste. Y yo todavía tengo café. Tú no. —Le señala con el dedo—. Ya te has acabado el tuyo. Oye, espera. —Le da el vaso vacío a la camarera—. ¿Lo ves? —le dice al tipo—. Has terminado. Deberías pedir otro café o largarte.

—¡Madre mía! —Con cara de estar a punto de estallar, el chico mete el portátil en su bolsa y se pone de pie—. Los putos críos —masculla—. Es increíble.

—Adiós, entonces —dice Linus con aire inocente—. Que te diviertas, capullo.

Por un momento, creo que el tipo le va a dar un buen soplamocos. Pero no lo hace, claro. Sale del local con cara de estar furioso. Linus se levanta y vuelve a sentarse a mi lado con su sonrisa de gajo de naranja.

—Dios mío —suspiro yo—. No puedo creer que hayas hecho eso.

—La próxima vez, hazlo tú.

—¡No puedo!

—Claro que sí. Es divertido. —Se frota las manos—. Él se lo ha buscado.

—Vale, ponme otro —propongo, envalentonada—. Ponme otro reto.

—Pregúntale a la camarera si tienen *muffins* de menta. Anda.

Llama a la camarera, que se acerca sonriendo. Ni siquiera me da tiempo a preguntarme si estoy nerviosa o no.

—Perdona, ¿tenéis *muffins* de menta? —pregunto adoptando el tono inocente e infantil de Linus.

No sé por qué, pero imitar a Linus me da fuerzas. No soy yo, no soy Audrey, soy un personaje.

—Eh, no. —Menea la cabeza—. Lo siento.

—Pero los vi en la página web —insisto—. Estoy segura de haberlos visto. ¿*Muffins* de menta rellenos de chocolate? ¿Como con fideos de chocolate por encima?

—Y caramelitos de menta —añade Linus muy serio, y a mí casi me da la risa.

—No —contesta la camarera, desconcertada—. Nunca los he visto.

—Ah, bueno —digo amablemente—. Gracias, de todos modos. —Mientras se aleja sonrío a Linus, un poco mareada—. ¡Lo he conseguido!

—Puedes hablar con cualquiera. —Asiente con la cabeza—. La próxima vez, ¿por qué no alquilas un auditório y das un discurso?

—¡Qué buena idea! Podríamos invitar, no sé, a mil personas.

—Así que la gráfica sube y sube. La señorita Audrey va directa a las estrellas.

Linus sabe lo de la gráfica aserrada o recta porque se lo he contado. Hasta se la dibujé.

—Desde luego que sí. —Choco mi vaso de café con el suyo—. La señorita Audrey va directa a las estrellas.

Lo que demuestra que estoy al mando de mi gráfica.

Si yo quiero tener una gráfica recta, voy a tenerla.

Así que, en mi siguiente sesión con la doctora Sarah, miento un poco cuando relleno el formulario.

¿Has tenido preocupaciones casi todos los días? No, en absoluto.

¿Te resulta difícil controlar tus preocupaciones? No, en absoluto.

Cuando le devuelvo la hoja, la mira con las cejas levantadas.

—Vaya. ¡Esto sí que es una mejoría!

—¿Lo ve? —digo enseguida sin poder refrenarme—. ¿Lo ve?

—¿Tienes idea de por qué has mejorado tanto esta semana, Audrey? —Me sonríe—. ¿Es solo que todo va bien o es otra cosa? ¿Ha habido algún cambio?

—No sé. —Me encojo de hombros con aire inocente—. No se me ocurre nada en particular que haya cambiado.

Lo cual también es mentira. Sí que ha cambiado algo: he dejado de tomarme la medicación. Me limito a sacar las pastillas de sus envoltorios y a tirarlas dentro de un sobre arrugado. (Por el váter no, porque los productos químicos se disuelven en el agua y eso.)

¿Y sabéis qué? No he notado ni una sola diferencia. Lo que demuestra que no necesitaba esas medicinas.

No se lo he dicho a nadie. Bueno, está claro que no, porque se habrían puesto muy nerviosos. Voy a esperar como un mes y luego se lo diré a todo el mundo como si tal cosa. «¿Lo veis?», les diré.

—Se lo dije —añado—. Estoy bien. Se acabó. Estoy completamente curada.

A mamá le ha dado por ordenarlo todo. Va por la casa barriendo, limpiando y preguntando a voces: «¿De quién son estos zapatos? ¿Y qué *hacen* aquí?» Nos hemos escondido todos en el jardín: Frank, Linus, Félix y yo. De todos modos hace calor y es agradable estar sentada en la hierba arrancando margaritas.

Se oye un ruido y aparece papá por un lado del arbusto detrás del que nos hemos escondido.

—Hola, papá —saluda Frank—. ¿Vienes a unirte a la Alianza Rebelde?

—Frank, creo que tu madre quiere hablar contigo —contesta papá.

Tu madre. Lo que significa: *A mí no me asocies con la nueva chifladura de mamá. No tengo nada que ver con eso.*

—¿Para qué? —Frank frunce el ceño ambiguamente—. Estoy ocupado.

—¿Ocupado escondiéndote detrás de un arbusto? —digo yo, y me da la risa.

—¿No te ofreciste a ayudar en el cátering de la fiesta de Avonlea? Pues creo que ya han empezado.

—Yo no me ofrecí a ayudar —responde Frank, enfadado—. No me *ofrecí*. Me obligaron. Son trabajos forzados.

—Qué gran actitud la tuya —comento yo—. Ayudar al prójimo y todo eso.

—Pues no veo que *tú* ayudes al prójimo —replica él.

—Podría hacerlo. —Me encojo de hombros—. No me importa preparar unos cuantos sándwiches.

—De todos modos —añade Frank—, decir «prójimo» es sexista. Me alegro de que seas tan sexista, Audrey.

—Es solo una expresión.

—Una expresión sexista.

—Creo que deberíamos entrar —interviene papá—. Mamá está en pie de guerra.

—Yo estoy con Linus —dice Frank sin moverse—. Estoy atendiendo a un invitado. ¿Quieres que deje tirado a mi invitado?

—Es *mi* invitado —contesto yo.

—Primero era mi amigo. —Frank me mira enfadado.

—De todos modos tengo que irme —comenta Linus diplomáticamente—. Tengo entrenamiento de waterpolo.

Cuando se marcha, oímos gritar a mamá con su voz de «me las vais a pagar»:

—¡Chris! ¡Frank! ¿Dónde estáis?

Y entonces nos damos cuenta de que no tiene sentido seguir escondiéndose. Frank vuelve a entrar arrastrando los pies como un condenado y yo respiro hondo varias veces porque estoy un poco nerviosa.

Bueno, estoy bien. No es que vaya a darme un ataque de ansiedad ni nada de eso. Es solo que estoy un pelín...

Bueno. Un pelín alterada. No sé por qué. Será seguramente por haber vuelto a la normalidad después de tantos meses contaminando mi cuerpo con fármacos. Porque, ¿cuándo fue la última vez que de verdad me sentí del todo normal?

La cocina está llena de gente de lo más variopinta. Hay una señora mayor con un traje morado muy antiguo y una peluca; una mujer de mediana edad con falda plisada y sandalias. Una señora y un señor muy gordos con sudaderas a juego de la parroquia de Saint Luke. Y un hombre de pelo blanco con una escúter para discapacitados.

La escúter es bastante guay, la verdad. Pero *estorba* bastante.

—¡Bueno! —Mamá entra y bate las palmas—. ¡Bienvenidos

todos y gracias por venir! Bueno, la fiesta empieza a las tres. He comprado un montón de ingredientes. —Empieza a sacar comida de bolsas del supermercado y a ponerla encima de la mesa: tomates, pepinos, lechuga, pan, pollo, jamón...— He pensado que podíamos hacer sándwiches, rollitos rellenos, eh... ¿Alguien tiene alguna idea más?

—¿Rollitos de salchicha? —sugiere la señora gorda.

—Claro —asiente mamá—. ¿Se refiere a comprarlos o a prepararlos?

—Eeh... —La señora gorda parece perpleja—. Pues no sé. Pero a la gente le gustan los rollitos de salchicha.

—Bien, no tenemos rollitos de salchicha. Ni tampoco salchichas. Así que...

—Qué lástima —se lamenta la señora gorda—. Porque a la gente le gustan los rollitos de salchicha.

Su marido asiente.

—Sí que le gustan.

—A todo el mundo le encantan los rollitos de salchicha.

Noto que mamá está empezando a ponerse un poco tensa.

—Quizá la próxima vez —dice jovialmente—. Bien, sigamos adelante. Se me ha ocurrido... ¿Y si hacemos sándwiches de huevo?

—¡Mamá! —exclama Frank horrorizado—. Los sándwiches de huevo son un asco.

—A mí me gustan —replica mamá a la defensiva—. ¿A alguien más le gustan los sándwiches de huevo?

—Creo que podemos hacer algo mucho mejor que sándwiches de huevo, guapa —afirma una voz de hombre interrumpiendo a mamá, y todos levantamos la cabeza.

Acaba de entrar en la cocina un tipo al que no había visto nunca. Debe de tener veintitantos años. Lleva la cabeza afeitada, traje de chef y unos seis pendientes en una oreja.

—Soy Ade —anuncia—. Mi abuelo es Derek Gould. Acaba de trasladarse a Avonlea. Me ha contado lo de la fiesta. ¿Qué vamos a hacer?

—¿Eres cocinero? —Mamá le mira con los ojos como platos—. ¿Cocinero *profesional*?

—Trabajo en el Fox and Hounds. Dispongo de una hora. ¿Esto es lo que tenéis? —Palpa la comida que ha sacado mamá—. Creo que podemos preparar un buen relleno para los rollitos. Y quizá una ensalada Waldorf. Y a lo mejor asar este hinojo y hacer una guarnición con limón y estragón...

—Joven. —La señora del traje morado le pasa una mano por delante de la cara—. ¿Cómo vamos a mantener fresca una ensalada en un día como hoy?

Ade parece sorprendido.

—He traído los recipientes isotérmicos del pub. Treinta en total. Y todos los demás utensilios del cátering. Pueden devolvérnoslos mañana.

La señora del traje morado parpadea sorprendida.

—¿Recipientes isotérmicos? —Mamá empieza a emocionarse—. ¿Y utensilios de cátering? ¡Eres un santo!

—No hay problema. Bueno, entonces el menú es: rollitos de ensalada Waldorf, rollitos de frijoles mexicanos, un par de ensaladas...

—Eh, ¿podríamos ponerles unos huevos? —pregunta mamá un poco avergonzada—. He comprado un montón de huevos para los sándwiches, pero no parecen gustarle a nadie.

—Tortilla de patata —contesta Ade sin vacilar—. Le ponemos un poco de chorizo, ajo, freímos cebolla dulce y la servimos en porciones...

Me *encanta* la tortilla de patata. ¡Este tío mola!

—También he comprado un montón de pimientos —dice mamá ansiosamente, tendiéndole uno—. ¿Pueden servir para algo?

—Perfecto.

Ade coge el pimiento y le da unas vueltas entre los dedos. Luego abre su mochila y saca un juego de cuchillos, todos cuidadosamente metidos en sus fundas. Le miramos boquiabiertos cuando coge la tabla de cortar de la mesa de la cocina, pone encima el pimiento y empieza a picarlo.

Ay, Dios mío, *nunca* he visto a nadie cortar tan rápido.

Tac-tac-tac-tac-tac.

Estamos todos alucinados. Hasta Frank. Sobre todo Frank. Cuando Ade acaba y nos ponemos todos a aplaudir, Frank es el único que sigue boquiabierto, con los ojos a punto de salírsele de las órbitas.

—Tú. —Ade se fija en él—. Quiero que te pongas a picar verduras.

—Pero... —Frank traga saliva—. Yo no puedo hacer eso.

—Yo te enseño. Y nada de tacos. —Le mira de arriba abajo—. ¿Vas a cocinar así? ¿No tienes delantal?

—Puedo buscar uno —contesta precipitadamente, y yo ahogo una risita.

¿Frank va a ponerse *delantal*?

Ade se ha puesto a rebuscar en los armarios de mamá y está desplegando ingredientes por toda la encimera.

—Voy a hacer una lista de compra —declara—. Necesitamos parmesano, más ajo, *harissa*... ¿Quién va a hacer de recadero? —Me mira a mí—. Esa chica tan guapa con gafas de sol. ¿Quieres ser nuestra recadera?

◆ ◆ ◆

No me importa salir a comprar.

Bueno, no siempre es *fácil*. Aún tengo que vérmelas con mi cerebro reptiliano, que se pone en acción justo cuando más me fastidia. Estos últimos días he notado como oleadas de pánico en momentos inesperados, lo cual es muy molesto, porque creía que me había librado de ellas.

Pero ha aprendido a no *luchar* con mi cerebro reptiliano y a *tolerarlo*, más bien. A escucharlo y a decir después: «Sí, vale, lo que tú digas». Igual que se escucha a un niño de cuatro años. He llegado a pensar en mi cerebro de lagarto como en una versión de Félix. Habla al tuntún, sin pies ni cabeza, y no puede una permitir que dirija su vida. Si dejáramos que Félix dirigiera nuestras vidas, llevaríamos todos traje de superhéroe y solo comeríamos helados.

Pero si intentas resistirte a él, lo único que consigues es que se ponga a chillar, a gemir y a patalear, y todo se complica. Así que lo mejor es escucharle a medias, decir que sí con la cabeza y luego pasar de él y hacer lo que uno quiere.

Pues, con el cerebro reptiliano, lo mismo.

Así que cuando me quedo paralizada de horror en la entrada del supermercado, me obligo a sonreír y a decir: «Buen intento, cerebro de lagarto». Lo digo en voz alta, de hecho, y suelto el aire contando hasta doce. (Si exhalas muy, muy despacio, se regula el dióxido de carbono del cerebro y te calmas al instante. Probadlo si no me creéis.) Luego entro tranquilamente y pongo cara de que de verdad me importa un comino lo que piense mi cerebro reptiliano.

¿Y sabéis qué? Que funciona.

◆ ◆ ◆

Cuando vuelvo a casa cargada con dos bolsas de compra, me paro en seco, asombrada. Frank está delante de la encimera, picando verduras.

Se ha puesto un delantal de mamá, empuña un cuchillo que no conozco y ha aprendido a manejarlo como un auténtico cocinero. Tac-tac-tac. A toda velocidad. Está colorado y completamente absorto. Como si ni siquiera le importara que le mire o que haga alguna broma.

—¡Genial! —Ade, que me acaba de ver, coge las bolsas—. Vamos a sacar el ajo. —Lo huele y frota la piel fina como papel—. Perfecto. Muy bien, Frank, quiero que lo cortes muy fino. La cabeza entera.

—Sí, jefe —contesta Frank en voz baja, y coge la cabeza de ajos.

¿Sí, jefe?

¿*Sí, jefe*?

Vale, ¿qué le ha pasado a Frank?

MI SERENA Y ENCANTADORA FAMILIA — TRANSCRIPCIÓN DEL DOCUMENTAL

INT. ROSEWOOD CLOSE Nº 5. DÍA

La cámara entra en la cocina, donde Frank está inclinado sobre el ordenador de papá.

> AUDREY (VOZ EN OFF)
> Bueno, hoy ha sido la fiesta. Ha salido
> bastante bien. He ganado esto en la
> rifa.

Una mano coge de encima de la mesa una funda rosa y peluda para los rollos de papel higiénico.

> AUDREY (V.E.O.)
> Es para el rollo de papel higiénico.
> ¿Verdad que es la cosa más hortera
> que habéis visto nunca?

Deja la funda sobre la mesa.

> AUDREY (V.E.O.)
> Pero la comida le ha ENCANTADO a
> todo el mundo. Se ha vendido toda, no
> sé, en cinco minutos, y el alcalde ha
> hecho una mención especial en su discurso.

La cámara enfoca a Frank. Está viendo un vídeo de YouTube de un cocinero picando verduras.

FRANK

¿Crees que mamá querrá comprarme un juego de cuchillos? ¿De cuchillos de verdad?

AUDREY (V.E.O.)

No sé. ¿Cuánto cuestan?

Abre otra pestaña en el ordenador.

FRANK

Estos cuestan seiscientas cincuenta libras.

AUDREY (V.E.O.)

Pues va a ser que no.

FRANK

Se necesitan cuchillos buenos. Ade dice que si voy al pub me enseñará a hacer más cosas. Solo tengo que fregar platos o algo así. Pero, si lo hago, me enseñará, ¿sabes?

Levanta la mirada con la cara toda encendida.

AUDREY (V.E.O.)

¡Eso es genial!

FRANK

Tiene un soplete de cocina. Lo usa para churruscar el pollo.

AUDREY (V.E.O.)

¡Hala! Pues la comida estaba deliciosa. Todo el mundo lo decía.

FRANK
A la ensalada Waldorf le faltaba aliño.
Lo dijo Ade.

AUDREY (V.E.O.)
Para mí estaba rica.

La cámara sale de la cocina y va hacia la puerta del jardín. Allí se detiene. Vemos a papá y mamá de pie delante de la casa de juguete, hablando en voz baja. Mamá tiene una carta en la mano y gesticula furiosamente mirando a papá.

MAMÁ
No puedo creer que nos lo pidan siquiera.

PAPÁ
Anne, no te lo tomes como algo personal.

MAMÁ
¿Cómo no voy a tomármelo como algo personal? ¿Cómo pueden tener tanta cara? ¡Qué *desfachatez*!

PAPÁ
Sí, ya lo sé. Es indignante.

MAMÁ
¡Es monstruoso! ¿Te das cuenta del daño que ellos podrían hacerle a Audrey? Esta misma noche voy a escribirle un e-mail a esa mujer y a decirle lo que pienso de ella y de...

PAPÁ

Yo se lo escribiré.

MAMÁ

(con vehemencia)

Pues yo pienso contribuir. ¡Y NO me censures, Chris!

PAPÁ

Redactaremos juntos el e-mail. No conviene que nos pongamos demasiado beligerantes.

MAMÁ

¿Demasiado beligerantes? ¿Estás de broma?

AUDREY (V.E.O.)

¿Sobre qué?

Se vuelven los dos, sobresaltados.

AUDREY (V.E.O.)

¿Qué pasa?

MAMÁ

¡Audrey!

PAPÁ

No pasa nada, cielo.

MAMÁ

Nada de lo que tengas que preocuparte. Eh, ¿verdad que ha sido divertida la fiesta?

Hay un silencio mientras la cámara recorre sus caras ansiosas y enfoca la mano de mamá, que aprieta la carta.

AUDREY (V.E.O.)
(muy despacio)
Sí. Superdivertida.

¿Qué estaban mirando? ¿Qué?

Todavía estoy estupefacta. Era la primera vez que los veía así. Les preocupaba tanto que adivinara de qué estaban hablando que hasta se pusieron agresivos. Mamá casi gruñía.

Así que, sea lo que sea, no quieren que me entere ni remotamente.

Estoy flipada. Ni siquiera puedo barajar distintas teorías y descartarlas, porque no se me ocurre ninguna. ¿Tendrá algo que ver con la doctora Sarah? Es lo único que se me ocurre. Puede que quiera ensayar conmigo un tratamiento experimental absurdo y que mis padres estén enfadados con ella por habérselo pedido.

Pero la doctora Sarah no haría eso. No me haría algo así. ¿No? Y papá y mamá tampoco la llamarían «esa mujer».

Por la noche, durante la cena, saco a relucir otra vez el tema, y vuelven a ponerse de uñas los dos.

—No era nada —contesta mamá mientras se come la pasta a toda prisa con cara de enfado—. Nada.

—Claro que era algo, mamá.

—No tienes que saberlo todo, Audrey.

Cuando me dice esto, noto de pronto una punzada de miedo. ¿Está enferma mamá o algo así? ¿Se avecina alguna inmensa tragedia familiar que va a aplastarnos como una apisonadora y por eso no quiere decirme nada?

Pero no, dijo «el daño que podrían hacerle a Audrey». Y hablaban en tercera persona del plural. Se trata de «ellos», sea quienes sean.

Esa tarde, papá y mamá pasan como dos horas encerrados en el despacho de papá y cuando por fin sale mamá dice:

—Bueno, ya estamos aquí.

Va envuelta en una especie de nube negra de orgullo. Tengo la sensación de que ha escrito el e-mail que quería escribir.

Papá anuncia que se va a jugar un rato con Mike, su compañero de squash, y mamá que se va a dar un baño. Espero hasta que oigo correr el agua y luego me voy a ver a Frank, que está en su habitación, escuchando música en su iPod.

—Frank, ¿puedes meterte en el e-mail de papá sin que se entere? —pregunto en voz baja.

—Sí. ¿Por qué?

—¿Puede ser ahora mismo?

Por la rapidez con la que se mete en la bandeja de entrada de papá, está claro que no es la primera vez que lo hace. Hasta se sabe su contraseña, que es toda signos, números y letras sin sentido.

—¿Sueles mirar los mensajes de papá? —pregunto con curiosidad, sentada en el brazo de la silla de despacho.

—A veces.

—¿Y él lo sabe?

—Claro que no. —Abre un par de mensajes de un tal George Stourhead—. Hay algunos interesantes. ¿Sabías que el año pasado solicitó otro trabajo?

—No.

—No se lo dieron, pero su compañero Allan opina que de todos modos la empresa estaba en una mala situación, así que casi mejor que no se lo dieran.

—Ah. —Me quedo pensando un momento—. Eso no es nada interesante.

—Es mejor que hacer deberes de geografía. Ah, y están preparando una fiesta sorpresa para mi cumpleaños. Pero que no se te escape, ¿vale?

—¡Frank! —gimoteo—. ¿Por qué me lo has dicho?

—Yo no te lo he dicho. —Dibuja una línea sobre su boca—. No he dicho nada. Bueno, ¿qué estás buscando?

—No sé. Un mensaje en el que mamá esté muy enfadada.

Frank levanta los ojos cómicamente, y no puedo evitar reírme.

—¿Podrías afinar un poco más?

—Vale. Entonces... No sé. Es algo relacionado conmigo. Busca «Audrey».

Me mira con una mueca divertida.

—Uno de cada dos e-mails tratan de ti, Audrey. ¿Es que no te das cuenta? Eres el Tema Prioritario en esta familia.

—Ah.

Le miro sorprendida. No sé qué decir. No quiero ser Tema Prioritario. Y, además, no lo soy.

—Eso es una tontería —replico—. El tema prioritario eres *tú*, no yo. Mamá se pasa el día entero hablando de ti. Que si Frank esto, que si Frank lo otro.

—Pero en sus e-mails solo habla de ti. Que si Audrey esto, que si Audrey aquello... —Me mira muy serio—. Créeme.

Me quedo callada unos segundos. Nunca se me había ocurrido pensar que mamá tuviera un mundo secreto en Internet. Pero lo tiene, claro. Me pregunto qué dice en esos e-mails. Podría mirarlo. Frank podría enseñarme, podría pedírselo...

Mientras lo pienso, es como si una gran puerta de hierro se cerrara en mi mente. No. No voy a mirar. Solo quiero ver lo justo. NO quiero saber qué piensa mamá en secreto. Todos tenemos derecho a nuestra intimidad.

—No deberías espiarles —digo.

—Tú también les estás espiando —contesta Frank.

—Sí, pero... —Hago una mueca, consciente de que tiene razón—. Esto es necesario. Es una excepción, y se trata de mí y es importante y... No voy a volver a hacerlo.

—Debe de ser este, supongo.

Hace clic en un e-mail recién enviado que lleva por asunto «Su petición».

Cuando se abre, miro directamente la última línea y veo que está firmado por Anne y Chris Turner.

—Dios mío. —Frank se echa a reír—. Mamá se ha despachado a gusto.

—¡Chis! ¡Déjame leerlo!

Miro por encima de sus hombros y, entornando los ojos, leo:

Estimada señora Lawton:

Le escribimos con profundo espanto y consternación. Primero, porque haya tenido el valor de escribir un e-mail a nuestra hija Audrey, cosa absolutamente impropia. Y segundo, porque nos plantee una petición tan indignante. Lamento que su hija Izzy esté teniendo problemas pero, si cree usted que Audrey estaría dispuesta a verla, debe de haber perdido usted la razón. ¿Recuerda acaso cuál es la situación? ¿Recuerda que su hija (entre otras) persiguió y acosó a la nuestra? ¿Es consciente de que Audrey no ha vuelto al colegio desde lo sucedido y de que pasó varias semanas en el hospital?

Nos da igual que Izzy quiera disculparse o no. No vamos a arriesgarnos a que nuestra hija sufra más daños psicológicos.

Atentamente,
Anne y Chris Turner

—¿Quién es Izzy? —pregunta Frank—. ¿Una de ellas?

—Sí.

Me estoy poniendo mala. Otra vez tengo esa sensación de envenenamiento. Me la causa solo escuchar ese nombre: Izzy.

—No puedo creer que quiera verme —digo con la mirada fija en el mensaje—. Después de todo este tiempo.

—Bueno, han dicho que no. Así que te has librado.

—No, qué va.

—¡Claro que sí! Mira, papá y mamá te apoyan. No tienes que ver a nadie si no quieres. Ni siquiera tienes que volver a ir al colegio si no quieres. Puedes hacer lo que te dé la gana. ¿Es que no te das cuenta de la suerte que tienes? —Abre otro e-mail—. No, ¿verdad? Ni siquiera eres consciente.

Casi no le oigo. Las ideas me dan vueltas en la cabeza como un torbellino. Ideas que ni siquiera entiendo. Que no quiero tener.

Sin percatarme de lo que hacía, me he acurrucado en el suelo con la cabeza escondida entre las manos. Necesito toda mi energía para pensar.

—¿Aud? —Frank parece darse cuenta de repente—. Aud, ¿qué pasa?

—Tú no lo entiendes —contesto—. Leer eso… Saber lo que han pedido… Me pone contra la espada y la pared.

—¿Por qué?

—Porque…

No puedo decirlo. Tengo las palabras en la cabeza, pero no quiero que estén ahí. No sé por qué están ahí. Pero no desaparecen.

—Quizá debería verla —digo con esfuerzo—. Quizá debería ir a verla.

—¿Qué? —Parece atónito—. ¿Y eso por qué?

—No sé. Porque… No sé. —Me agarro la cabeza—. No *sé*.

—Es mala idea —afirma Frank—. Es como invitar a los malos rollos a que vuelvan a entrar en tu vida. Ya lo has pasado bastante mal, Aud. No empeores las cosas. Mira, papá tiene un enlace a esa página que te dice a qué personaje de los Simpson te pareces más —añade—. Deberías hacerlo. ¿Dónde está…?

227

—Empieza a clicar por el escritorio sin ton ni son—. La verdad es que papá es un tío muy divertido...

—Para ya. Necesito pensar.

—Piensas demasiado. Ese es tu problema. Deja de pensar de una vez. —Se para de pronto—. Ay, mierda. No sé qué acabo de hacer. ¿Has visto lo que he hecho?

—No.

—Creo que he borrado un documento. Ay. —Sigue clicando como un loco—. Vamos, cabrón, *deshacer*. Oye, no le digas a papá que hemos hecho esto, ¿vale? Porque si le he perdido algo se va a poner *histérico*...

Dice algo más, pero me marcho sin oírle siquiera. Tengo un torbellino en la cabeza, el corazón me late a toda prisa y me siento como fuera de la realidad.

Disculparse. No me imagino a Izzy disculpándose. Casi no me la imagino hablando. Nunca fue la peor. Se quedaba en segundo plano, decía que sí a todo y le seguía la corriente a Tasha. Bueno, la verdad es que todo el mundo en clase le seguía la corriente. Porque mientras la víctima fuera yo, no lo serían ellas. Hasta Natalie dejó de dar la cara por mí…

Pero no, dejemos eso. Natalie estaba muy asustada. Ya he hecho las paces con ella. No pasa nada.

La que de verdad daba miedo era Tasha. Esa es la que hace que se me ponga la piel de gallina. Es inteligente y astuta, y enérgica, y guapa con ese aire tan deportista y esa mandíbula firme. Los profesores la adoraban. La *adoraban*. Bueno, hasta que averiguaron la verdad y todo eso.

He tenido mucho tiempo para pensar en ello. Y he llegado a la conclusión que lo hizo por divertirse. Ya sabéis. Porque *podía*.

Mi teoría es que algún día ganará algún premio. Será una famosa creativa de publicidad, venderá un mensaje al público, conseguirá que todo el mundo se lo crea y además lo hará de la manera más imaginativa, implacable y descarada que quepa imaginar. Será una de esas publicistas que te engañan hasta el punto de que ni siquiera te enteras de que te están vendiendo algo: simplemente te lo tragas y empiezas a hacer lo que quieren que hagas. Utilizará a los demás y luego los dejará tirados. Cualquier persona a la que sonría caerá bajo su hechizo y se unirá al equipo. Las personas que la odien se sentirán manipuladas y utilizadas, pero ¿a quién le importan?

La verdad *auténtica* (que, por cierto, ningún adulto admitiría jamás) es que seguramente esta experiencia va a venirle de perlas para el futuro. Fue, cómo decirlo, el proyecto más elaborado que quepa imaginar. Fue innovador. Constante y prolongado. Si hubiera sido un trabajo de fin de bachillerato *(Torturar a Audrey Turner empleando diversos métodos imaginativos)*, habría sacado una matrícula de honor.

Bueno, sí, al final la expulsaron. Pero eso es un detalle menor, ¿verdad que sí?

Al final, no me quedo tranquila hasta que lo suelto. Así que muy pasadas las once, cuando ya debería estar durmiendo, bajo las escaleras y pillo a mis padres en la cocina preparándose una infusión.

—Mamá, he leído tu e-mail y creo que debería ir a ver a Izzy —digo.

Ya está. Hecho.

Mamá se negó en redondo. Y papá también.

Ella se enfadó bastante. No paraba de decir que estaba enfadada con la señora Lawton pero, por cómo repetía una y otra vez las mismas cosas, parecía que estaba aún más enfadada conmigo.

Soy consciente de que leer e-mails privados es imperdonable.

Y de que mis padres tienen que hacer malabarismos para sacar adelante temas importantes, y no pueden hacerlo si están continuamente preocupados por que vaya a colarme sin permiso en sus cuentas de correo.

¿Acaso quiero vivir en una casa en la que todo esté cerrado a cal y canto? (No.)

¿Quiero vivir en una familia en la que nadie confíe en nadie? (No.)

Espera un momento. ¿Fue Frank? ¿Te ayudó él? (Silencio.)

A mamá se le pusieron blancas las aletas de la nariz y empezaron a hinchársele las venas de la frente, y papá se puso muy serio, muy, muy serio, como hacía tiempo que no le veía. Se negaron rotundamente a dejarme ver a Izzy.

—Eres *frágil*, Audrey —repetía mamá—. Eres como una pieza de porcelana recién arreglada.

Eso se lo ha copiado a la doctora Sarah.

¿Hablan mamá y la doctora Sarah a mis espaldas? Nunca se me había ocurrido. Claro que a veces soy muy lenta de reflejos, eso salta a la vista.

—Cariño, sé que crees que será una experiencia catártica y que soltarás tu discurso y que todo el mundo aprenderá algo y saldrá beneficiado —dice papá—. Pero en la vida real no pasan esas cosas. Me he enfrentado a muchos gilipollas a lo largo de mi vida. Y nunca se dan cuenta de que son unos gilipollas. Ni una sola vez. Digas lo que digas. —Se vuelve hacia mamá—. ¿Te acuerdas de Ian, mi primer jefe? Era un gilipollas integral y siempre lo será.

—No pienso soltar ningún discurso —contesto—. Es ella la que quiere disculparse.

—Eso dice —mascula mamá enfadada—. Eso *dice*.

—Dinos por qué quieres verla —añade papá—. Explícanoslo.

—¿Quieres que te pida perdón? —pregunta mamá—. Podríamos decirle que te escriba una carta.

—No es eso.

Sacudo la cabeza con impaciencia, intentando ordenar mis pensamientos. El problema es que no puedo explicarlo. No sé por qué quiero hacerlo, como no sea para demostrar algo. Pero ¿demostrárselo a quién? ¿A mí misma? ¿A Izzy?

A la doctora Sarah no le hace ninguna gracia oír hablar de Izzy, ni de Tasha, ni de ninguna de ellas. «Audrey», me dice, «tu valía no depende de otros», «Tú no eres responsable de las emociones de los demás» o «Esa tal Tasha resulta muy aburrida. Vamos a pasar a otro tema».

Hasta me dio un libro sobre relaciones insanas. (Casi me entra la risa. ¿Puede haber una relación más insana que la mía con Tasha?) Decía que hay que ser fuerte para liberarse del maltrato y los abusos y no compararse constantemente con personas tóxicas. Mantenerse firme y fuerte como un árbol robusto y saludable, y no ser un arbolillo enclenque, una víctima codependiente siempre a punto de derrumbarse. O algo así.

Todo eso está muy bien. Pero Izzy y Tasha y todas esas siguen estando en mi cabeza constantemente. No han desalojado el edificio. Y puede que nunca lo desalojen.

—Si no lo hago, siempre me quedará esa duda —digo por fin—. Me reconcomerá toda la vida. *¿Podría* haberlo hecho? *¿Habría* cambiado algo?

Mis padres no parecen convencidos.

—Eso puede decirse de cualquier cosa —replica mamá—. *¿Podrías* haberte lanzado en paracaídas desde lo alto del Empire State Building? Pues a lo mejor sí.

—La vida es muy corta —añade papá con firmeza—. Hay que pasar página.

—Y lo estoy *intentando*. ¡Esto forma parte de ese proceso!

Pero al mirarlos a uno y a otro me doy cuenta de que es imposible que los convenza. Nunca los convenceré, diga lo que diga.

◆ ◆ ◆

Así que recurro a Frank. Que también cree que es mala idea pero que, a diferencia de mis padres, después de discutirlo unos cinco minutos, se encoge de hombros y dice:

—Es tu vida.

Papá ha cambiado su contraseña de e-mail, pero Frank la encuentra enseguida en su BlackBerry, en un archivo llamado *Contraseña nueva* (pobre papá, no debería ir dejando por ahí su BlackBerry), y nos metemos en la cuenta. Pensaba escribir yo misma el mensaje, pero Frank toma las riendas, y la verdad es que parece mi padre.

—Has leído demasiados e-mails de papá —le digo asombrada al leer lo que ha escrito—. ¡Es alucinante!

—Está chupado —responde, pero noto que está satisfecho.

Y con razón. El mensaje es toda una obra de arte. Dice así:

Estimada señora Lawton:

Por favor, discúlpenos a mi esposa y a mí por nuestra brusca respuesta de ayer. Como puede imaginar, nos sorprendió mucho que se pusiera en contacto con nosotros y quizá reaccionamos con precipitación.

Tras reflexionar sobre la cuestión, a Audrey le gustaría mucho reunirse con Izzy y escuchar lo que tenga que decirle. ¿Sería posible que se vieran a las tres de la tarde del próximo martes en Starbucks?

Por favor, no conteste a este e-mail, ya que el ordenador me está dando problemas. Envíe un mensaje de texto a este número para confirmar la cita: 07986 435 619.

Atentamente,
Chris Turner

Es el número de mi móvil nuevo. Después de mandar el e-mail, Frank lo borra y vuelve a borrarlo de la Papelera, y yo pienso que no va a pasar nada, que estamos a salvo.

Y entonces, de repente, noto como una sacudida de miedo. ¿Qué estoy haciendo? Joder, ¿qué estoy *haciendo*? Se me acelera el corazón y siento que mis manos empiezan a crisparse y a encogerse.

—¿Vendrás conmigo? ¿Por favor? —pregunto sin poder evitarlo, y Frank se vuelve y se queda mirándome.

Yo esquivo su mirada, vuelvo la cabeza, pero luego le miro de reojo. Parece muy angustiado, como si de pronto él también hubiera comprendido lo que va a pasar: lo que hemos hecho.

—¿Estás segura de que quieres hacer esto, Aud?

—Sí. Sí. —Asiento con la cabeza una y otra vez, como para convencerme a mí misma—. *Sí.* Voy a hacerlo. Solo necesito un poco de apoyo moral. Si tú vienes conmigo, y también Linus…

—Los tres mosqueteros.

—Algo así.

—¿Se lo has dicho a Linus?

—No, pero he quedado con él luego, en el parque. Se lo diré entonces.

Al llegar al parque, tengo un momento malísimo. Uno de los de antes, cuando me moría de miedo. Todas las personas que hay a mi alrededor me parecen robots, creo que van a por mí y que en el parque reina un ambiente de temor y amenaza. A mi cerebro reptiliano no le está gustando nada esta experiencia. De hecho, quiere esconderse debajo de un arbusto.

Pero *no* voy a esconderme debajo de un arbusto, me digo con firmeza. *No* voy a escuchar a ningún reptil. Aunque me siento enferma de miedo y sigo teniendo estas oleadas de mareo tan raras, consigo entrar en el parque como una persona normal y enseguida localizo a Linus sentado en un banco. Verle me calma un poco. Ver su sonrisa de gajo de naranja, ancha y feliz, solo para mí, es como notar que alguien acaricia mi cerebro de lagarto y le dice que se calme, que todo va bien.

(A Linus no le he hablado de mi cerebro reptiliano. Porque hay ciertas cosas que le puedes contar a tu novio y otras que te tienes que callar para que no piense que estás como una cabra.)

—Hola, Ruibarbo.

—Hola, Gajo de Naranja.

Toco su mano y nos damos un beso rozándonos los labios.

—Bueno —dice en cuanto nos separamos—. Tengo una misión para ti. Acércate a ese hombre y pregúntale si los patos son vegetarianos.

Señala a un señor mayor que está tirando pan a los patos.

—¿Lo son?

—Claro que no, tonta. Comen gusanos. Adelante.

Me da un empujoncito en el hombro y yo me levanto con una sonrisa. Estoy temblando de miedo pero me obligo a mantener una conversación con el señor mayor acerca de patos. Luego vuelvo al banco y le digo a Linus que vaya a preguntar a un grupo de turistas franceses en qué país estamos.

Linus es una máquina. Una auténtica *máquina.* Les dice a los turistas franceses en tono afligido que él iba camino de Suecia pero que debe de haberse extraviado, y empiezan todos a mirar sus mapas y sus teléfonos y a decir «¡Angleterre! ¡Inglaterra!» y a señalar los autobuses rojos que pasan junto al parque cada cinco segundos.

—Ah, Inglaterra —exclama Linus por fin, y todos asienten con vehemencia y exclaman:

—*D'accord! Grand Bretagne! ¡Inglaterra!*

Y, por fin, se marchan, parloteando todavía y volviendo la cabeza para mirarle. Seguramente van a estar hablando de él el resto de sus vacaciones.

—Vale —dice Linus al volver al banco—. Ve y pregúntale a ese tío si vende helados de coco.

Señala al vendedor de helados que monta su puesto en el parque todos los veranos desde que yo puedo recordar.

—No tiene.

—Ya lo sé. Por eso vas a preguntárselo.

—Es demasiado fácil —replico con orgullo—. Piensa en otra cosa.

—No me apetece —responde perezosamente—. Ve a preguntar al tipo de los helados.

Me acerco al puesto de helados y espero pacientemente mi turno, y entonces digo:

—Perdone, ¿tiene helado de coco?

Sé lo que va a decir. Le he preguntado si tenía helado de coco todos los años desde que tenía ocho, aproximadamente, y nunca tiene.

—Hoy sí —contesta con un brillo en los ojos.

Me quedo mirándole pasmada cuando agarra su cuchara.

—¿Cómo dice?

—Helado de coco para la señorita —contesta haciendo una reverencia—. El especial del día. Solo para ti.

—¿Qué? —Pestañeo asombrada mientras pone una bola de helado blanco en un enorme cucurucho—. ¿Eso es coco?

—Solo para ti —repite al darme el cucurucho—. Y uno de chocolate para el joven —añade pasándome otro helado—. Ya están pagados.

—El de coco es mi favorito —afirmo aturdida—. Pero nunca lo tiene.

—Es lo que me dijo tu novio. Me pidió que te lo sirviera como un favor especial.

Me vuelvo y veo a Linus mirándome con una sonrisa más ancha que nunca.

—Gracias —le digo al vendedor de helados—. *Gracias*, de verdad.

Al llegar junto a Linus, le abrazo sin que se me caigan los helados y le doy un beso.

—¡No me puedo creer que hayas hecho algo así! —Le doy su cucurucho y pruebo el mío. Es una delicia. Un manjar de dioses. El de coco es el mejor helado del mundo—. *Dios* mío…

—¿Está bueno?

—Me encanta. Me *encanta*.

—A mí también. Me encantas tú —dice Linus antes de dar otro lametazo a su helado.

Sus palabras se me quedan grabadas en el cerebro. *A mí también. Me encantas tú.*

El parque es un caos de sol, de graznidos de patos y niños chillando, pero ahora mismo es como si el mundo entero se hubiera reducido a la cara de Linus. A su pelo castaño, a sus ojos sinceros y su sonrisa de media luna.

—¿Qué… qué quieres decir? —pregunto con esfuerzo.

—Lo que he dicho. Que a mí también me encanta —responde sin apartar los ojos de los míos.

—Has dicho que te encanto yo.

—Bueno… puede que quisiera decir eso.

Me encanta. A mí también. Me encantas tú.

Las palabras me bailan en la cabeza como piezas de un puzle, encajando aquí y allá.

—Pero ¿qué querías decir exactamente? —pregunto sin poder evitarlo.

—Ya lo sabes, exactamente.

Sus ojos sonríen a juego con su boca de gajo de naranja. Pero también están serios.

—Pues… a mí también —digo con un nudo en la garganta—. Me encantas tú.

—Yo.

—Sí. —Trago saliva—. Sí.

No hace falta que digamos nada más. Y sé que siempre recordaré este momento, aquí en el parque, con los patos y el sol y él rodeándome con sus brazos. Su beso sabe a helado de chocolate y estoy segura de que el mío sabe a coco.

La verdad es que son dos sabores que van muy bien juntos. Así que…

◆ ◆ ◆

Un poco más tarde, en cambio, mi vida se desintegra.

Linus no lo entiende. No quiere entenderlo. No es que se oponga: es que se pone furioso, físicamente furioso. Da un puñetazo a un árbol, como si fuera culpa del árbol.

—Es de locos, joder —exclama sin parar mientras se pasea de un lado a otro por la hierba, mirando a las ardillas con cara de enfado—. Es una locura.

—Mira, Linus… Tengo que hacerlo —intento explicarle.

—¡No me vengas con esa gilipollez! —grita—. Creía que tu terapeuta te había prohibido decir eso. Creía que lo único que «tienes que hacer» en esta vida es obedecer las leyes de la física. ¿Es que no has aprendido nada? ¿Qué hay de eso de vivir en el presente y no en el pasado? ¿Qué pasa con eso?

Me quedo mirándole, muda. Me ha escuchado con más atención de la que creía.

—No *tienes* por qué hacer nada —continúa—. Eres tú quien ha *decidido* hacerlo. ¿Y si tienes una recaída? Entonces, ¿qué?

—Entonces... —Me paso la mano por la cara húmeda—. No voy a tener una recaída. No va a pasar nada. Estoy *mejor*, por si no te has dado cuenta...

—¡Sigues llevando esas putas gafas de sol! —estalla—. ¡Sigues teniendo que practicar para cruzar tres palabras con un desconocido! ¿Y ahora quieres enfrentarte cara a cara a una de esas matonas? ¡Ni siquiera tendrías por qué darle la hora! Eres una egoísta.

—¿Qué? —Me quedo mirándole pasmada—. ¿*Egoísta*, yo?

—¡Sí, egoísta! ¿Sabes cuánta gente ha intentado ayudarte? ¿Sabes cuánta gente está deseando que te pongas bien? Y tú vas y haces esta idiotez solo porque «tienes que hacerlo». Si quieres que te dé mi opinión, es peligroso. ¿Y quién va a pagar los platos rotos después? Dímelo.

Estoy tan indignada que siento una oleada de furia. ¿Qué sabe él? ¿Qué *cojones* sabe él de mí?

—Nadie va a tener que pagar ningún plato *roto* —le suelto—. Por amor de Dios, quedar con una chica en Starbucks no es *peligroso*. Y de todos modos lo que hizo que enfermara no fue *lo que pasó*. Es un error que comete mucha gente, *en realidad. En realidad,* no son las situaciones estresantes las que te hacen enfermar. Es cómo reacciona tu cerebro a ellas. Así que...

—Vale, ¿y cómo va a reaccionar tu cerebro a esa situación estresante? —replica con igual vehemencia—. ¿Va a ponerse a bailar y a cantar *Happy*?

—Va a reaccionar bien —contesto con ferocidad—. Estoy mejor. Y si por casualidad no reacciona bien, no te preocupes, no espero que tú pagues ningún plato roto. De hecho, ¿sabes qué, Linus? Siento haberte causado ya tantas molestias. Será mejor que te busques a otra chica con quien salir. A una que no lleve gafas de sol. A lo mejor puedes salir con Tasha. Tengo entendido que es superdivertida.

Me pongo de pie con esfuerzo, intentando mantener la compostura, lo cual no resulta fácil cuando todo me da vueltas y mi cabeza protesta dando grandes voces.

—Para, Audrey.

—No. Me marcho.

Las lágrimas me corren por la cara, pero no pasa nada porque la vuelvo para que no me vea Linus.

—Pues voy contigo.

—Déjame en paz —digo apartándome bruscamente para que me suelte el brazo—. Déjame *en paz*.

Y por fin, después de arreglármelas durante todo el día para no hacerle caso, sucumbo a mi cerebro reptiliano. Y echo a correr.

Esto es lo que se supone que no debo hacer después de una situación de estrés: dar vueltas al asunto. Ponerme a cavilar. Revivirlo una y otra vez. Sentirme responsable de las emociones de los demás.

Y esto es lo que he estado haciendo desde que me peleé con Linus: darle vueltas una y otra vez. Cavilar. Revivirlo sin parar. Sentirme responsable de su furia (y al mismo tiempo guardarle rencor por ella). Oscilar entre el desánimo y la indignación. Queriendo llamarle, y lo contrario.

¿Por qué no puede *entenderlo*? Creía que me admiraría. Creía que hablaría de mi Coraje y mi Necesidad de Pasar Página y que diría: «Tienes razón, Audrey, tienes que hacerlo por duro que sea, y yo estaré a tu lado».

Casi no he pegado ojo estas dos últimas noches. Es como si mi mente fuera una olla hirviendo que arroja burbujas y vapores tóxicos y cuyo caldo se estuviera fermentando hasta convertirse en algo horrible. Me siento mareada, irreal, como una moto. Pero también reconcentrada. Voy a hacer esto y va a ser un gran punto de inflexión. Después todo será distinto: no sé cómo exactamente, pero será distinto. Es como si tuviera que saltar una valla o cruzar una línea de meta o algo así. Seré libre. Libre de algo.

Así que, en resumen, estoy un poco obsesionada. Pero por suerte mis padres están demasiado preocupados por Frank para fijarse en mí. Estoy escapando a su radar. Dicho en pocas palabras, mamá encontró la Atari en el cuarto de Frank, se armó otro lío y ahora estamos otra vez en Modo Crisis Familiar.

Cuando bajo a desayunar, están otra vez erre que erre.

—Os lo he dicho mil veces: *no* es un ordenador —dice Frank con aplomo—. Es una consola Atari. Dijisteis que nada de ordenadores. Yo clasifico un ordenador como una máquina capaz de procesar información de diversas maneras, entre ellas el procesamiento de textos, el correo electrónico y las búsquedas en Internet. La Atari no hace ninguna de esas cosas y por lo tanto no es un ordenador, lo que significa que no he traicionado vuestra confianza. —Se mete una cucharada de cereales en la boca—. Tenéis que ser más precisos con las definiciones. Ese es el problema, no mi consola Atari.

Creo que Frank debería ser abogado de mayor. Ha bordado la argumentación, aunque a mamá no le haga ni pizca de gracia.

—¿Tú le estás oyendo? —le pregunta mamá a papá, que tiene cara de querer esconderse detrás del periódico—. El caso es, Frank, que teníamos un acuerdo. No vas a jugar a ningún tipo de videojuegos, punto final. ¿Tú *sabes* lo dañinos que son?

—Santo Dios. —Frank apoya la cabeza en las manos—. Mamá, la que tiene un problema con los videojuegos eres tú. Estás empezando a obsesionarte.

—¡Yo no estoy obsesionada! —Suelta una risa burlona.

—¡Sí que lo estás! ¡No piensas en otra cosa! ¿*Sabes* acaso que he sacado un nueve y medio en química?

—¿Un nueve y medio? —Mamá se para en seco—. ¿En serio?

—Te lo dije ayer, pero no me escuchaste. No parabas de decir: «¡Atari! ¡El diablo! ¡Fuera de mi casa!»

Mamá parece un poco avergonzada

—Ah —dice por fin—. Bueno… ¡Un nueve y medio! ¡Eso es fantástico! ¡Muy bien hecho!

—¡Mujeres! —masculla Frank, y enseguida añade—: ¡Es broma! ¡Es *broma*!

Me sonríe y yo intento devolverle la sonrisa, pero tengo un nudo en el estómago. No paro de pensar: *Las tres en punto. Las tres en punto.*

Hemos quedado definitivamente en Starbucks, aunque los Lawton no han parado de mandar mensajes pidiendo que quedáramos en un «lugar más reservado». Ofrecían su propia casa, o una habitación de hotel o una sala en la consulta de la psicóloga de Izzy. Sí, claro.

Frank se ha ocupado de toda la correspondencia. Se le da genial. Ha rechazado todas sus propuestas como si fuera papá y se ha negado a darles una dirección de e-mail alternativa, que no paraban de pedir. El estilo de sus mensajes era clavadito al de papá.

La verdad es que ha sido bastante divertido. Porque no tienen ni idea de que somos nosotros: dos chicos. Creen que van a venir mis padres. Que va a ser una gran reunión familiar. Confían en que sea «catártico para todos», según su último mensaje.

En cuanto a mí, no puedo creer que vaya a volver a ver a Izzy. Que vaya a pasar de verdad. El momento decisivo. Tengo la sensación de ser un muelle que se enrosca poco a poco, tensándose y esperando.

Solo faltan siete horas.

◆ ◆ ◆

Y luego, de pronto, quedan siete minutos para irnos y me siento realmente enferma. La cabeza me está matando: no de dolor, sino porque de repente se me ha agudizado el sentido de la realidad. La calle me parece más luminosa de lo normal. Más ruidosa. Más amenazadora.

Frank se ha escapado del colegio antes de tiempo, pero no pasa nada porque ya han acabado los exámenes y no hacen nada en clase, solo ver DVD «educativos». Camina a mi lado, charlando sobre lo que pasó en la asamblea esta mañana, cuando alguien llevó a su mascota, una rata, y la soltó en clase. Me dan ganas de gritarle «¡Cállate! ¡Déjame pensar!», pero en parte también agradezco la distracción.

Llevo vaqueros, camiseta negra y deportivas negras. Ropa seria. No tengo ni idea de qué se habrá puesto Izzy. Nunca ha vestido especialmente bien. Eso era cosa de Tasha. Casi me pregunto si voy a reconocerla. No hace tanto tiempo, claro, pero tengo la sensación de que ha pasado media vida.

Pero claro que la reconozco: al instante. Los veo a través de la luna de la cafetería antes que ellos a nosotros. La madre y el padre parecen nerviosos, pero sonríen con una sonrisa falsa. Y luego está ella: Izzy. Lleva una camiseta muy infantil con un ribete de cinta rosa y una falda bonita. ¿De qué *va*? Me dan ganas de reír… pero no puedo.

Tampoco puedo sonreír. Es como si estuviera perdiendo todas mis fuerzas, una por una.

Cuando entro en la cafetería, me doy cuenta de que tampoco puedo hablar. Me he quedado como vacía por dentro. Así como así, en un instante. Toda la fortaleza interior que había acumulado, ese muelle que iba tensándose, el ímpetu y las ganas de enfrentarme a ella… Todo eso ha desaparecido.

Me siento pequeña y vulnerable.

No, pequeña no. Soy más alta que ella. Eso todavía lo tengo. Soy alta.

Pero vulnerable. Y muda. Y ahora nos están mirando. Aprieto la mano de Frank en silencio, desesperada, y él parece captar el mensaje.

—Hola —saluda enérgicamente dirigiéndose a la mesa—. Permítanme presentarme. Soy Frank Turner. Ustedes deben de ser los Lawton.

Tiende la mano pero nadie se la acepta. Los padres de Izzy le miran de arriba abajo, pasmados.

—Audrey, esperábamos que vinieran tus padres —dice la señora Lawton.

—Tenían un compromiso ineludible —contesta Frank sin pestañear—. Yo soy el representante de la familia.

—Pero… —La señora Lawton parece acalorada—. Creo de verdad que vuestros padres deberían… Habíamos entendido que esto iba a ser un encuentro familiar…

—Yo soy el representante de la familia Turner —repite Frank tenazmente.

Aparta una silla y nos sentamos frente a ellos. Los Lawton se miran con nerviosismo y se hacen gestitos con la boca y las cejas, pero al poco rato se calman y queda claro que la conversación acerca de nuestros padres se ha terminado.

—Hemos pedido unas botellas de agua —dice la señora Lawton—, pero podemos pedir unos tés, o café, lo que queráis.

—El agua está bien —responde Frank—. Vayamos al grano, ¿de acuerdo? Izzy quiere disculparse con Audrey, ¿no es eso?

—Pongamos esto en su contexto —afirma el señor Lawton en tono grave—. Nosotros, al igual que vosotros, hemos pasado unos meses infernales. Nos hemos preguntado por qué una y otra vez. Izzy también. ¿Verdad, cariño? —Mira a su hija muy serio—. ¿Cómo pudo ocurrir eso? ¿Y qué ocurrió exactamente y quién tuvo de verdad la culpa?

Aprieta la mano de Izzy y yo la miro directamente por primera vez. Dios, qué cambiada está. De pronto me doy cuenta de que parece una niña de once años. Es bastante *perturbador*. Lleva el pelo recogido en una coleta con un pompón de niña pequeña y esa camiseta tan infantil, con su ribete de cinta, y mira a su padre con los ojos como platos, como si fuera un bebé. Y se ha puesto un brillo de labios asqueroso, de esos con sabor a fresa. Lo huelo desde aquí.

No me ha mirado ni una sola vez en todo este tiempo. Y sus padres no la han obligado a hacerlo. Si yo fuera ellos, eso sería lo primero que haría. Obligarla a mirarme. Hacer que me *viera*.

—Izzy lo ha pasado muy mal. —El señor Lawton prosigue con el discurso que, obviamente, traía ensayado—. Como sabéis, ahora estudia en casa y se ha sometido a un tratamiento psicológico muy riguroso.

Qué fuerte, pienso yo.

—Pero le está costando mucho pasar página. —El señor Lawton vuelve a apretar la mano de Izzy y ella le mira con expresión implorante—. ¿Verdad que sí, cariño? Por desgracia, sufre una depresión clínica.

Lo dice como si se sacara de la manga un triunfo. ¿Y qué quiere que hagamos? ¿Aplaudir? ¿Decirle cuánto lo sentimos? ¡Vaya, depresión, eso tiene que ser horrible!

—¿Y qué? —le espeta Frank con desdén—. Audrey también. —Mira a Izzy directamente—. Sé lo que le hiciste a mi hermana. Yo también estaría deprimido si fuera tú.

Los Lawton contienen bruscamente la respiración y el padre se lleva una mano a la cabeza.

—Esperaba que abordáramos este encuentro de manera más constructiva —dice—. Quizá podríamos guardarnos los insultos para nosotros.

—¡Eso no es un insulto! —replica Frank—. ¡Es la verdad! Y creía que Izzy iba a disculparse. ¿Dónde está la disculpa? —Pincha a Izzy con el dedo y ella se retira soltando un gemidito.

—Izzy ha estado trabajando con su equipo —interviene la señora Lawton—. Ha escrito algo que le gustaría entregarle a Audrey. —Da unas palmaditas en el hombro a su hija—. Lo escribió en uno de sus talleres de poesía.

¿Poesía? ¿Poesía?

Oigo que Frank suelta un bufido y los Lawton le miran con desagrado.

—Esto va a ser duro para Izzy —añade la madre con frialdad—. Está muy frágil.

—Como todos —agrega su marido inclinando la cabeza hacia mí y haciéndole una mueca a su mujer.

—Sí, por supuesto —responde ella, pero no parece convencida—. Así que os pedimos que escuchéis su escrito en silencio, sin hacer comentarios. Luego podemos pasar a la fase de debate de la reunión.

Se hace el silencio mientras Izzy desdobla un fajo de DIN A4. Todavía no me ha mirado como es debido. *Todavía* no.

—Puedes hacerlo, Izzy —le susurra su madre—. Sé valiente.

Su padre le da unas palmaditas en la mano y veo que Frank hace un gesto como de potar.

—*Cuando vino la Oscuridad* —dice Izzy con voz temblorosa—, de Isobel Lawton. «Vino a mí, la oscuridad. La seguí aunque no debía. Actué cuando no debía. Y ahora miro atrás y veo que mi vida es un nudo retorcido…»

Vale, si el taller de poesía les ha costado caro, han tirado el dinero.

Mientras escucho a Izzy, espero una reacción fuerte y visceral. Espero que una parte de mí se rebele y la odie o la agreda o algo. Espero el gran momento: la confrontación. Pero no llega. No tengo fuerzas. No lo *siento*.

Desde el preciso instante en que crucé la puerta, nada ha sido como yo pensaba. No soy la guerrera que imaginaba. Me siento hueca por dentro, vulnerable y en cierto modo *disminuida*. No estoy ganando ninguna batalla aquí sentada, agarrándome en silencio a la mesa, incapaz de hablar, limitándome a pensar vertiginosamente, enfrascada en mis pensamientos.

Pero no es solo eso: es que no hay ninguna batalla que ganar. A los Lawton yo no les intereso. Podría decir lo que me apeteciera, que no me escucharían. Están poniendo en escena una historieta en la que Izzy se disculpa y es la heroína y yo tengo un pequeño papel. Y yo se lo estoy permitiendo. ¿Por qué se lo permito?

De pronto, mientras miro la cabeza agachada de Izzy, siento una oleada de repulsión.

No va a mirarme, ¿verdad? No puede. Porque tal vez yo rompa la burbuja.

Imagino que es una forma de afrontarlo: retroceder, volver a tener once años, llevar coletas, estudiar en casa y dejar que tus padres se ocupen de todo y te digan que no pasa nada, que *en realidad* no eres una acosadora repugnante, cielo mío. Es solo que esas personas tan desagradables no te entendían. Pero si escribes un poema, todo se solucionará.

De repente oigo la voz de Linus dentro de mi cabeza: *Ni siquiera tendrías por qué darle la hora.*

¿Por qué iba a dársela? ¿Por qué le *estoy* dedicando mi tiempo? ¿Qué hago aquí?

—Pero las energías malas llegaban de todas direcciones, nada de cariño, solo aflicciones...

Izzy sigue recitando con voz monótona lo que parece haberse convertido en un rap cutre. Me fijo en que todavía le queda una hoja. Es hora de marcharse, no hay duda.

Aprieto la mano de Frank y miro hacia la puerta. Levanta las cejas y asiente firmemente con la cabeza. Yo dejo escapar un sonido débil e inarticulado.

—Sí, tenemos que irnos ya —anuncia Frank interrumpiendo a Izzy—. Gracias por el agua.

—¿Os vais?

Los Lawton parecen atónitos.

—Pero Izzy todavía no ha acabado de leer.

—Y no hemos debatido.

—¡La reunión acaba de empezar!

—Pues sí, nos vamos —contesta Frank alegremente mientras nos levantamos—. ¿Verdad, Aud?

—¡No podéis marcharos antes de que Izzy acabe de leer! —La señora Lawton está desencajada—. Lo siento, pero ¿qué clase de comportamiento es este?

Y entonces, por fin, recupero el habla.

—¿Comportamiento? ¿Quieren que hablemos de *comportamiento*? —digo en voz baja.

Es como un ensalmo. Los demás se quedan callados. Paralizados.

Se oye un extraño murmullo alrededor: es como si toda la cafetería hubiera captado nuestras vibraciones solo por un instante. Al señor Lawton se le ha descompuesto la cara. Es como si la realidad hubiera perforado por un instante sus anteojeras y se hubiera visto obligado a verme. A mí, a la que hicieron todas esas cosas.

Sí, esas cosas. Las que hicieron. Y dijeron. Y escribieron. Entre otras, su hija, la de la coleta. Eso es.

No miro a Izzy. ¿Para qué voy a malgastar energías volviendo hacia ella mis glóbulos oculares? ¿Por qué voy a dedicarle una sola pizca de energía a Izzy?

Y entonces nos vamos, Frank y yo, sin mirar atrás, sin hablar de ello, sin perder un segundo más de nuestras vidas en todo este montón de *mierda*.

Y ahora debería estar eufórica. ¿No? Porque creo que he ganado. ¿No?

Solo que ya que ha pasado todo, me siento vacía. Lo único que ha dicho Frank mientras volvíamos ha sido «Vaya panda de tarados». Luego me ha dicho que se iba otra vez al colegio, que tenía club de tecnología, y cuando le he dado un gran abrazo y he murmurado «Gracias, no sé cómo voy a devolverte el favor», me ha dicho «Pues dejándome elegir *los dos* ingredientes de la pizza el viernes por la noche. ¿Vale?»

Y ahora son las siete y estoy sola. Mis padres se han ido a su clase de salsa. No tienen ni idea de lo que ha pasado. Es muy raro, ¿verdad? Me *he encontrado con Izzy* y no se han enterado.

He escrito un mensaje a Linus para contárselo. Le decía que siento haberme puesto así con él. Que tenía razón, que no debería haber ido y que le echo de menos y tengo muchísimas ganas de verle. Quiero que todo vuelva a ser como antes. Quiero que me ponga otro desafío salvaje. Quiero olvidarme de que he ido a ver a Izzy.

En realidad, creo que los dos teníamos razón. Yo, porque no he tenido una recaída y sigo aquí, entera. Y Linus porque no debería haber perdido con ella ni un minuto de mi tiempo. Así que... Cuando me conteste, voy a pedirle que venga a casa y quizá retomemos esa *otra* conversación que tuvimos en el parque.

◆ ◆ ◆

De eso hace dos horas y todavía no ha contestado. He mirado como un millón de veces si tengo cobertura, y sí, tengo. En fin... Puede que esté liado o algo así.

◆ ◆ ◆

Pero a las diez sigue sin contestar. Y él *siempre* contesta. Siempre en menos de una hora. Siempre se las arregla para contestar. Me ha mandado mensajes desde clase, o mientras cenaba con su familia. Linus siempre contesta. Menos ahora. Ahora no.

◆ ◆ ◆

Son las once. Aún no ha contestado.

◆ ◆ ◆

Es medianoche. Y nada.

◆ ◆ ◆

Es ya la una y no sé qué hacer. No puedo dormir. Ni siquiera puedo echarme. Me fui oficialmente a la cama hace tres horas, pero todavía no he tocado las sábanas. Doy vueltas por mi habitación intentando calmarme pero mis pensamientos giran y giran como un huracán.

Lo he echado todo a perder con Linus. No va a contestarme. Se acabó. Él tenía razón: soy una egoísta. No debería haber ido a esa estúpida cita. ¿Por qué lo he hecho? Siempre hago tonterías. Soy tan idiota, soy un fracaso, una *imbécil*, y he estropeado lo único bueno que tenía, y ahora me odia y no puedo hacer nada para evitarlo. Se ha acabado todo. Y todo es culpa mía, culpa mía por *idiota*...

Se me acelera la mente y el paso también, y me tiro de los brazos y me pellizco intentando... No sé. No lo entiendo. Me miro al espejo y me asusto al ver la mirada de loca que tengo. Noto un hormigueo extraño en todo el cuerpo, como si estuviera más viva de lo que debo, como si mi cuerpo estuviera *sobrecargado* de energía vital. ¿Se puede tener demasiada vida dentro del cuerpo? Porque así me siento yo. Y va todo demasiado rápido. Mi corazón, mi cabeza, mis pies, mis brazos y mis uñas…

Quizá debería tomarme algo. Se me ocurre la idea como si una persona muy sensata me la dijera al oído. Sí. Claro. Puedo tomarme algo. Tengo montones de cosas.

Rebusco en mi caja llena de trucos mágicos con tanta prisa que tiro frascos y envoltorios al suelo. Vale, un Clonazepam. Puede que dos. O quizá tres. Me los trago y espero a que todo se tranquilice. Pero mi mente sigue chillando, dando vueltas y más vueltas como un coche de carreras en un circuito, y no puedo soportarlo. No me soporto. *Tengo* que escapar…

Entonces se me ocurre otra idea brillante: ir a dar un paseo. Necesito quemar toda esta energía. El aire fresco me sentará de maravilla. Y luego volveré y dormiré a pierna suelta y por la mañana, como suele decirse, lo veré todo con nuevos ojos.

MI SERENA Y ENCANTADORA FAMILIA – TRANSCRIP-
CIÓN DEL DOCUMENTAL

INT. ROSEWOOD CLOSE Nº 5. DÍA

La cámara se tambalea mientras alguien la coloca sobre un lugar elevado. La persona en cuestión retrocede
y vemos que es Frank, en el cuarto de estar. Mira fijamente a la cámara con expresión preocupada.

> FRANK
> ¿Funciona? Sí, vale. Hola. Soy Frank
> Turner y este es mi videoblog. Mi her-
> mana Audrey ha desaparecido. Esto es
> una pesadilla. Nos despertamos esta
> mañana y no estaba. Mis padres es-
> tán... (Traga saliva.) La hemos buscado
> por todas partes y hemos llamado a
> todo el mundo. Mis padres llamaron a la
> policía *inmediatamente*. Y la policía se
> está portando genial, están supertran-
> quilos, pero...

Cierra los ojos un momento.

> FRANK
> Todavía no me creo que esté pasando
> esto.

Se queda callado unos segundos, con la mirada perdida.

> FRANK
> Me echan la culpa a mí. Y eso es...

Suspira angustiado.

> **FRANK**
> En fin... Vamos a salir otra vez dentro
> de un minuto, a buscarla de nuevo. No
> sé dónde. Porque hemos buscado por
> todas partes. ¿En los callejoncitos la-
> terales, quizá? Pero mamá se empeñó
> en que primero tenía que comer algo.
> Como si tuviera ganas de comer.

Suelta otro profundo suspiro.

> **FRANK**
> El caso es que... Les he contado lo que
> hicimos ayer. Tenía que contárselo.
> Audrey, si estás viendo esto, *tenía* que
> contárselo.

Larga pausa.

> **FRANK**
> Audrey, por favor, vuelve a casa y
> ponte a ver esto.

Suena el timbre y Frank da un brinco de un metro.

> **FRANK**
> Un segundo.

Sale corriendo de la habitación. Pasan unos instantes,
luego vuelve con los hombros caídos, acompañado por
Linus.

FRANK
(a cámara)
No era ella. Era Linus.

LINUS
(a Frank)
Lo siento.

Mira azorado a la cámara.

LINUS
Lo siento.

Entra mamá como un vendaval, con la cara demacrada
y los ojos rebosantes de determinación.

MAMÁ
Frank, estamos registrando sus cosas
y necesito saber...

Al ver a Linus se para en seco, llena de hostilidad.

MAMÁ
Tú. ¿Qué haces tú aquí?

Linus se queda paralizado al notar su agresividad.

LINUS
¿Yo? Solo he... Frank me ha dicho lo de
Audrey y...

MAMÁ
¿Sabes dónde está?

LINUS

¡No! ¡Claro que no! ¡Os lo habría dicho!

Traga saliva con nerviosismo mirando a mamá, pero sigue adelante.

LINUS

Frank me ha dicho que querían saber con quién se había estado mensajeando. Pues ayer me mandó este mensaje, pero me acaba de llegar. No tenía ni idea de que me había escrito.

Le enseña su teléfono.

LINUS

No sé si servirá de algo.

Mamá escudriña el teléfono, cada vez más alterada.

MAMÁ
(a Linus)
Entonces tú también sabías lo de esa cita con los Lawton. ¿Fue idea tuya?

LINUS

¡No!

MAMÁ

Pero por lo visto le planteabas «desafíos salvajes».

Toca el teléfono con un dedo.

MAMÁ

Lo dice aquí: dice que quiere que le pongas otro «desafío salvaje».

LINUS
(alarmado)
Pero no era eso. Eran cosas como hablar con gente en Starbucks, nada más.

Mamá no parece escucharle.

MAMÁ

¿Lo de salir de casa en plena noche también era uno de tus «desafíos salvajes», Linus?

LINUS
¡No! ¿Cómo puede creer que...?

Apela a Frank.

LINUS
¿Haría yo eso?

FRANK
Mamá, lo que dices está fuera de lugar.

Mamá se vuelve hacia Linus.

MAMÁ

Lo único que sé es que Audrey estaba estable hasta que te conoció. Y ahora ha desaparecido.

LINUS

Eso es muy injusto.

Le cuesta trabajo mantener la compostura.

LINUS

Es *muy* injusto. Tengo que irme. Avísame si puedo ayudar en algo.

Cuando Linus se va, Frank se vuelve furioso hacia su madre.

FRANK

¿Cómo puedes echarle la culpa a Linus, nada menos? Esta casa es un puto manicomio.

Mamá tiene un repentino estallido de angustia.

MAMÁ

¡Ha desaparecido, Frank! ¿Es que no lo entiendes? Ha *desaparecido*. Tengo que intentarlo todo, tengo que pensar en todo, en todas las posibilidades...

Se interrumpe cuando aparece papá casi sin aliento, con su móvil en la mano.

PAPÁ

¡La han encontrado! En el parque, dormida. Se había escondido detrás de un... No la hemos visto...

Casi no puede articular palabra.

PAPÁ

Ya la tienen.

Lo raro es que perdí mis gafas esa noche y ni siquiera me di cuenta hasta que papá dijo de pronto:

—¡Audrey! Pero ¡si no llevas tus gafas de sol!

Y era cierto: no las llevaba. Tenía los ojos desnudos. Después de tantos meses. Y tuvo que ser papá quien me lo hiciera notar.

Estábamos en la sala de espera de la comisaría y Sinead, una policía muy simpática, nos entendió mal y pensó que nos estábamos quejando de que había perdido las gafas en el edificio. Tardamos un rato en explicarle que *no quería* recuperarlas.

Y no quiero. Estoy bien así. El mundo parece más luminoso, aunque no sé si es por las gafas oscuras o porque he vuelto a medicarme. Por ahora. La doctora Sarah me soltó un larguísimo sermón sobre los peligros de dejar de medicarse sin supervisión y me contó que puede causar mareos (sí) y taquicardia (también), además de muchos otros síntomas. Me hizo prometerle que no volvería a hacerlo y se lo prometí.

Las pastillas que me dio me han dejado noqueada, así que he dormido un montón estos dos últimos días, pero el resto de la familia no para de entrar en mi habitación. Para asegurarse de que sigo aquí, supongo.

Papá me ha hablado de una canción nueva que está componiendo y Frank me ha enseñado un montón de vídeos de YouTube sobre cómo cortar verduras (la verdad es que se está volviendo un tostón), y Félix me ha dicho que le ha cortado el pelo a su amigo Ben en el cole y que Ben se ha puesto a llorar. Por lo visto es cierto, según papá, pero Félix asegura que Ben lloraba «porque estaba *muy contento*».

Mamá es quien más ha venido a verme. Se ha pasado toda la tarde sentada en mi cama y hemos visto juntas *Mujercitas*, que es la peli perfecta para ver con tu madre cuando estás en la cama un poco malita. (La peli antigua con Elizabeth Taylor, por si os lo estáis preguntando.)

Mientras la veíamos, hemos decorado los bolsitos de fieltro que hicimos ayer. Es una idea nueva de mamá: compra pequeños kits de manualidades y hacemos cosas juntas. A ninguna de las dos se nos da muy bien, pero… ya sabéis. Es agradable. Relajante. No se trata de hacer *nada en concreto*. Y mamá solo se sienta en la cama y me hace compañía, y no se pasa el rato mirando ansiosamente la habitación ni intenta adivinar qué estoy pensando. Creo que ya no necesita pistas en ese aspecto. Ya lo sabe. O al menos sabe lo suficiente.

Mientras estaba intentando pegar una estrella de tela en la parte delantera de mi bolsito, le he dicho:

—Mamá, ¿por qué no vuelves a trabajar?

Se ha puesto un poco tensa. Ha hecho un lazo con un trocito de cinta y lo ha grapado a su bolso antes de levantar la mirada y decir:

—¿A trabajar?

—Sí, a trabajar. Hace siglos que no trabajas. Desde que… —He dejado la frase a medias.

—Bueno, ha sido difícil. —Ella ha soltado una risita.

—Sí, ya lo sé. Pero tú eres brillante en tu trabajo. Ganas premios y te pones esas chaquetas tan bonitas…

Ha echado la cabeza hacia atrás y se ha reído otra vez.

—Cariño, no va una a trabajar solo para ponerse chaquetas bonitas. —Se ha quedado pensando un momento—. Bueno, casi nunca.

—Te estás quedando en casa por mí, ¿verdad? —he insistido yo.

—Cielo... —Ha suspirado—. Me encanta estar aquí, contigo. No querría estar en ninguna otra parte.

—Lo sé.

Ha habido un silencio y hemos visto cómo Jo rechazaba la proposición de Laurie; cada vez que lo veo me dan ganas de que diga que sí.

—Pero aun así creo que deberías volver a trabajar —he replicado—. Cuando trabajas estás resplandeciente.

—¿Resplandeciente? —Mamá ha parecido un poco sorprendida.

—Sí, resplandeciente. No sé, como Supermamá.

Se ha emocionado mucho. Ha pestañeado un par de veces, ha cosido otra cinta al lazo y luego ha dicho:

—No es tan sencillo, Audrey. Tendría que viajar... Y pasar muchas horas fuera de casa... Y tú vas a empezar en un colegio nuevo...

—Bueno, pues nos las arreglaremos —he dicho con toda la determinación que he podido—. Mamá, no tiene sentido que yo me recupere si las cosas no nos van mejor a todos. Quiero decir que lo hemos pasado *todos* muy mal, ¿verdad?

He estado pensando en eso toda la mañana: en lo fácil que sería ponerme mejor y salir alegremente por la puerta dando brincos y dejar atrás a mis padres, a Frank y a Félix. Pero no debería ser así. Lo que pasó nos afectó a todos. Deberíamos salir alegremente por la puerta dando brincos todos *juntos*.

Bueno, ya sabéis: a lo mejor Frank podría salir alegremente arrastrando los pies.

Hemos pasado un rato más viendo la peli en silencio. Luego mamá me ha comentado como si estuviéramos hablando de lo mismo:

—La doctora Sarah me ha dicho que dejaste de tomarte la medicación. Que querías que tu gráfica fuera recta.

Me he desinflado un poco. La verdad es que no quería entrar en el tema de la medicación. Pero tendría que haber imaginado que alguien lo sacaría a relucir.

—Quería estar mejor —he farfullado, notándome acalorada—. Ya sabes: bien al cien por cien, completamente. Sin medicamentos ni nada.

—*Estás* mejor. —Mamá me ha cogido la cara entre las manos como cuando era una niña pequeñita—. Cariño, estás mucho mejor cada semana que pasa. Has cambiado mucho. Estás bien al noventa y cinco por ciento. Al noventa y cinco por ciento. Seguro que te das cuenta.

—Pero estoy harta de esa dichosa gráfica con tantos altibajos —le he dicho, enfadada—. Ya sabes, dos pasos arriba, uno abajo. Es tan *penoso*... Y tan *lento*... Es como una partida de Serpientes y Escaleras que no se acaba nunca.

Se ha quedado mirándome como si quisiera reír o quizá llorar, y ha dicho:

—Pero, Audrey, la vida es así: todos tenemos gráficas con altibajos. Yo los tengo. Un trecho arriba, un trecho abajo. Así es la vida.

Y entonces Jo conoció al profesor Bhaer y tuvimos que ver esa parte.

Y luego murió Beth. Así que supongo que las hermanas March también tenían una gráfica con altibajos.

Luego, por la noche, he bajado a tomarme una taza de chocolate caliente y he oído decir a papá:

—Anne, he encargado un portátil nuevo para Frank. Ya está. Ya lo he dicho. Ya está hecho.

Jopé.

Me he acercado sin hacer ruido, me he asomado por la puerta abierta y he visto que a mamá casi se le cae la taza.

—¿Un *portátil* nuevo?

—De segunda mano. A muy buen precio. He ido a ver a Paul Taylor, tiene auténticas gangas y… —papá se queda callado al ver la cara de mamá—. Vale, Anne. Ya sé lo que dijimos. Lo *sé*. Pero no resisto más la tensión que hay en esta casa. Y Frank tiene razón, necesita tener Internet para hacer los deberes, y ya sabemos todos que puede hackear mi ordenador y colarse en mi e-mail…

—No puedo creer que hayas hecho eso así, sin más.

Mamá mueve la cabeza, pero no parece tan indignada como yo creía. De hecho, casi parece tranquila.

Es muy raro. No sé si me gusta mamá tranquila. Es mejor cuando está desquiciada y siempre a punto de estallar.

—¿Tan *malo* es que Frank juegue a videojuegos de vez en cuando? —pregunta papá en tono indeciso.

—Pues no sé, Chris. —Mamá se frota la cara—. Ya no lo sé. No sé nada de nada.

—Pues yo tampoco lo sé. —Tira de ella y le da un abrazo—. El caso es que le he comprado un portátil.

—Vale.

Mamá se apoya en él y de pronto me doy cuenta de lo agotada que está. Frank dice que nunca había visto a mamá como cuando yo desaparecí. Que se puso gris, dice. Y que tenía los ojos como apagados por dentro, como si se le hubiera agotado la batería.

Nunca me perdonaré el haberles hecho eso. Pero no voy a darle más vueltas. Lo he hablado con la doctora Sarah y hemos quedado en que lo mejor que puedo hacer para compensarles es recuperarme. Seguir tomando la medicación. Y pensar positivamente.

—¿Te acuerdas de aquellas navidades, cuando se pusieron malos? —pregunta mamá de repente—. ¿Cuando tenían dos y tres años? ¿Te acuerdas? Se hicieron caca en los calcetines de Navidad, había caca *por todas partes* y dijimos: «Esto no puede ser siempre así: tiene que ser cada vez más fácil».

—Sí, me acuerdo.

—Estábamos limpiándolo todo y decíamos: «Cuando sean mayores, será más fácil», ¿te acuerdas?

—Sí. —Papá la mira con cariño.

—Pues ojalá volvieran a cagarse. —Mamá se echa a reír, un poco histérica—. Ahora mismo, daría cualquier cosa por un poco de caca.

—Yo sueño con caca —contesta papá con firmeza, y mamá se ríe aún más, hasta que se le saltan las lágrimas.

Y yo retrocedo sin hacer ruido. Ya me haré luego mi chocolate caliente.

Así que la única pieza del rompecabezas que queda es Linus. Pero es una pieza muy grande.

Frank acaba de enseñarme el trozo de película en el que mamá carga contra Linus en el cuarto de estar y lo he mirado totalmente pasmada. Primero, no podía creerme que mamá pudiera culpar a Linus de nada. Segundo, no podía creerme que él acabara de recibir mi mensaje. Y tercero, no podía creerme que hubiera venido a verme.

Así pues, no había pasado de mí. No me odiaba. Yo no lo había estropeado todo. Me he equivocado en tantas cosas... Mientras veía el vídeo otra vez, me he sentido muy avergonzada y he notado que mamá se sentía aún peor.

—Yo *no* hablo así —decía una y otra vez, horrorizada—. No dije eso, ¿verdad que no?

—Pues sí, hablaste así, absolutamente —responde Frank—. Peor todavía, de hecho. En cámara sales favorecida.

Quería chincharla un poco. En la vida real su voz no suena *tan* aguda.

—Pues entonces tengo que pedirle perdón a Linus —dice mamá con un suspiro.

—Yo también —me apresuro a decir yo.

—Y yo —añade Frank malhumorado.

—¿Qué? —Mamá y yo nos volvemos para mirarle.

—Nos peleamos. Por el LOC. Él estaba hablando del campeonato y yo... Bueno, me puse celoso, supongo.

Parece un colegial crecidito. Tiene tinta en las manos y se mira las rodillas apenado. Todavía no sabe lo del portátil y me encantaría susurrárselo al oído para que se anime, pero ya estoy harta de hacer cosas a espaldas de mis padres: he escarmentado. Por ahora.

—Bueno… —Mamá vuelve a estar llena de energía—. Entonces, todos tenemos que disculparnos con Linus.

—Mamá, todo eso está muy bien —digo con voz monocorde—. Pero es demasiado tarde. Los padres de Linus van a emigrar. Ahora mismo está en el aeropuerto. Hemos perdido la oportunidad.

—¿*Qué*? —Mamá parece espantada.

—Podríamos ir al aeropuerto. —Papá mira con nerviosismo su reloj—. ¿Qué aeropuerto es? Anne, iremos en tu coche.

—¿Qué vuelo es? —pregunta mamá—. ¿Qué vuelo, Audrey?

Pero ¿qué les *pasa* a mis padres? Que han visto demasiadas películas de Richard Curtis, ese es el problema. Se les ha reblandecido el cerebro.

—¡No está en el *aeropuerto*, jolín! —exclamo—. Era una *broma*. ¿No creéis que ya os habríais enterado si Linus fuera a irse del país?

—Ah. —Mamá se desinfla, visiblemente avergonzada—. Vale. Es que me he dejado llevar por la emoción. ¿Qué hacemos, entonces?

—Invitarle a tomar un café en Starbucks —contesto después de pensarlo un momento—. Tiene que ser en Starbucks. Frank, escríbele tú.

◆ ◆ ◆

La verdad es que es muy gracioso. Cuando Linus llega a Starbucks estamos todos allí sentados, en una mesa grande. La familia al completo, esperándole. Se queda de piedra y por un momento creo que va a salir corriendo, pero, ya sabéis, Linus no es de los que huyen. Pasan unos cinco segundos y luego entra con aire decidido y nos mira a todos por turnos, sobre todo a mamá. Y por último a mí.

Tarda unos treinta segundos en darse cuenta.

—¡Tus gafas!

—Sí. —No puedo evitar sonreír de oreja a oreja.

—¿Cuándo...?

—No sé. Se me cayeron. Y... aquí estoy.

—Bueno, Linus —anuncia mamá—, queríamos disculparnos contigo. ¿Frank?

—Siento haberme puesto tan borde, tío —dice Frank poniéndose colorado.

—Ah. —Linus parece avergonzado—. Eh... No pasa nada. Chocan los puños y luego Frank mira a mamá.

—Mamá, te toca.

—Vale. —Se aclara la garganta—. Linus, siento mucho haber pagado contigo mi angustia y mi preocupación. Me equivoqué por completo. Sé lo bien que te has portado con Audrey y solo puedo pedirte perdón.

—Ya. Eh... —Él parece todavía más avergonzado—. Mirad, no hace falta que hagáis esto. —Nos mira a todos—. Sé que estabais muy estresados.

—Queremos hacerlo. —De pronto, a mamá le tiembla un poco la voz—. Linus, te tenemos todos mucho cariño. Y yo *no* debería haberte gritado. Fue un mal momento, y lo siento muchísimo.

—¡Perdón! —interviene Félix, que ha estado todo este tiempo masticando galletas de mantequilla—. Tenemos que pedirle perdón a Linus. Perdón, Linus. —Sonríe—. Perdón, Linus.

—No pasa nada, Félix —responde él.

Veo que Félix le mira ladeando la cabeza lanuda, como si intentara descubrir qué estamos haciendo aquí.

—¿Mi mamá te ha cortado el pelo? —pregunta como si por fin lo hubiera descubierto—. ¿Tú lloraste? Ben lloró porque estaba *contento*.

—Eh, no, Félix, nadie me ha cortado el pelo —contesta Linus, un poco perdido.

—Ben lloró porque estaba *contento* —insiste Félix.

—Bueno, yo ya he dicho lo que tenía que decir —añade mamá—. Chris, te toca.

Se vuelve hacia papá, que parece un poco sorprendido. No estoy segura de que supiera que íbamos a disculparnos todos.

—Eh... Pues eso, eso —dice—. Lo que ha dicho Anne. —Señala a mamá moviendo la mano—. Lo suscribo todo. ¿De acuerdo?

—De acuerdo —contesta Linus con una sonrisilla.

—Y, Linus, nos gustaría hacerte un pequeño regalo para compensarte —anuncia mamá—. Un obsequio. Una salida al cine o... ¿a un parque temático? Tú eliges.

—¿Puedo elegir lo que quiera? —Linus mira a mis padres con aire conspirador—. ¿Cualquier cosa?

—Bueno, dentro de lo razonable. Nada *demasiado* caro...

—Lo que tengo en mente no sería nada caro.

—¡Genial, entonces! —exclama papá enseguida, pero mamá frunce el ceño.

—Quiero jugar las eliminatorias del torneo de LOC con Frank —agrega Linus—. Eso es lo que más me apetece.

—Ah. —Mamá le mira, incómoda—. ¿En serio?

—Pero tú ya tienes equipo —replica Frank enfurruñado.

Me doy cuenta de que está superemocionado porque no se atreve a mirar a Linus.

—Quiero jugar en tu equipo. Los otros tienen un jugador de reserva. No me necesitan.

—Pero ¡no tenemos equipo! —se lamenta Frank y apunta, hecho polvo de repente—: No tengo ordenador, no tenemos equipo...

—Todavía —interviene papá, rebosante de contento—. Todavía. —Mira a Frank con una sonrisa de oreja a oreja—. Todavía.

—¿Qué? —Mi hermano le mira con cara de no entender nada.

—No tienes ordenador *todavía*. —Papá le hace uno de sus guiños teatrales—. Tú busca una caja grande de color marrón, es lo único que digo. Pero se acabó lo de entrar en mi e-mail.

—¿Qué? —Frank parece casi mareado de emoción—. ¿En serio?

—Si cumples las normas y no te pones intratable cuando te digamos que pares de jugar —advierte mamá—. Si hay algún problema, lo tiro por la ventana. —Dibuja una sonrisilla satisfecha—. Sabes que soy capaz. Y que tengo ganas.

—¡Vale, lo que vosotros queráis! —Frank casi se ha quedado sin habla—. ¡Haré lo que sea!

—Bueno, al final vas a poder jugar —afirma papá, que parece casi tan emocionado como Frank—. El otro día leí un artículo sobre el LOC en el semanario del *Sunday Times*. Y es un gran negocio, ¿no?

—¡Sí! —responde Frank como si dijera «¡Por fin!»—. ¡En Corea es un auténtico deporte de masas! Y en Estados Unidos hay becas para jugar al LOC. Becas de verdad.

—Deberías leer ese artículo, Anne —añade papá—. ¿Cuál es el primer premio? ¿Seis millones de dólares? —Sonríe a Frank—. ¿Y qué? ¿Vais a ganarlo?

—No tenemos equipo. —Frank se desanima de pronto—. Va a ser imposible formar un equipo. Queda como una semana.

—Podría jugar Ollie —sugiere Linus—. No se le da mal, para tener doce años.

—Yo podría jugar —digo impulsivamente—. Si queréis, claro.

—¿Tú? —pregunta Frank en tono burlón—. Tú eres malísima.

—Bueno, puedo practicar, ¿no?

—¡Exacto! —exclama mamá—. Puede practicar. Así que todo arreglado. —Mira su reloj y luego nos mira a Linus y a mí—. Y ahora vamos a dejaros solos para que Audrey... Bueno, para que... —hace una pausa—. Bien... No querréis que estemos por aquí, avergonzándoos.

El caso es que no estábamos avergonzados hasta que mi madre ha pronunciado esa palabra. Linus y yo nos quedamos tan cortados que no decimos nada mientras se levantan, y entonces a Félix se le cae su galleta y quiere otra y papá empieza a buscar su BlackBerry y mamá le dice que no la ha traído, y la verdad es que los quiero a todos un montón, pero ¿es posible que haya *alguna* familia más exasperante que la mía?

Espero a que se marchen del todo y a que se cierre la puerta de cristal detrás de ellos. Entonces me vuelvo hacia Linus y le miro.

—Bienvenido a mis ojos —digo en voz baja—. ¿Qué te parecen?

—Me gustan. —Sonríe—. Me encantan.

Nos quedamos así, mirándonos el uno al otro. Y yo siento algo nuevo entre nosotros, algo aún más íntimo de lo que había antes. Mirarse a los ojos. Es la conexión más potente que hay.

—Lo siento, Linus —me disculpo por fin, apartando con esfuerzo la mirada—. Debería haberte hecho caso… Tenías razón.

—Para. —Pone su mano sobre la mía—. Tú lo has dicho. Yo lo he dicho. Ya basta.

Tiene razón. Nos hemos mandado como cinco trillones de mensajes desde que volví a casa. (Solo que mi madre no sabe cuántos han sido, porque se suponía que yo estaba «descansando».)

—Entonces… ¿todo bien?

—Bueno, eso depende —contesta, y noto una sacudida de miedo.

—¿De qué?

Me mira pensativo un momento.

—De si puedes preguntarle a esa señora rubia de la tercera mesa contando desde aquí cómo se va al circo.

Empiezo a reírme como no me reía desde hacía siglos.

—¿El *circo*?

—Te has enterado de que hay un circo por esta zona. Y estás deseando verlo. Sobre todo, los elefantes.

—Vale. Voy a hacerlo. —Me levanto y hago una reverencia en broma—. ¡Mira, sin gafas! ¡Solo ojos!

—Lo sé. —Me mira sonriendo—. Ya te he dicho que me encantan.

—¿Te encantan? —pregunto pavoneándome.

—Me encantas tú.

Noto un nudo en la garganta. Su mirada está fija en la mía y no hay duda de lo que ha querido decir.

—Lo mismo digo —consigo decir—. Me encantas tú.

Nos hundimos el uno en la mirada del otro. Somos como dos personas muertas de hambre atiborrándonos de bollos de crema. Pero me ha puesto un reto y no voy a acobardarme, ni pensarlo. Así que me alejo y voy a darle la lata a la señora rubia preguntándole por el circo. No miro atrás ni una sola vez mientras hablo con ella, pero noto los ojos de Linus fijos en mí todo el tiempo. Como un rayo de sol.

Mamá nos ha hecho unas camisetas. En serio, unas camisetas para el equipo. Nos llamamos Los Estrategas. Como no nos poníamos de acuerdo en el nombre, lo echamos a suertes sacando papelitos de un sombrero y salió ese.

No os creeríais cómo está el cuarto de juego ahora mismo. Parece la Central del Videojuego. Ollie y Linus trajeron sus cosas ayer, así que ahora hay dos ordenadores de sobremesa (el de papá, que me ha prestado el suyo para el campeonato, y el de Ollie) y dos portátiles, cada uno con su silla, sus auriculares y una botella de agua para que no nos deshidratemos. Además de una caja de dónuts comprada por mamá en el último momento.

Podríamos jugar todos en línea desde nuestras casas. Sería lo normal. Pero mamá no paraba de decir: «Si esto es un deporte en equipo, *jugadlo* como un deporte en equipo». Y es sábado por la mañana, así que no hay inconveniente.

Mamá se ha interesado de pronto por el LOC, cosa nunca vista, y nos hemos pasado toda la semana explicándole los personajes, los niveles y la historia de fondo y contestando a sus preguntas absurdas como «¿Por qué tienen que ser todos tan *avariciosos* y *violentos*?» Al final, Frank le soltó «Estamos jugando a Land of Conquerors, mamá. Son conquistadores, no un grupo de voluntariado social», y ella pareció un poco avergonzada.

Yo he pasado varias horas jugando en línea y ya juego un poco mejor. Bueno, no soy Frank. Pero no voy a dejarlos en mal lugar. Espero. La verdad es que creo que soy un poco mejor que Ollie, que la primera vez que quedamos para entrenar me preguntó si estaba saliendo con Linus y cuando le dije que sí pareció desanimado treinta segundos y luego dijo con aire viril:

—Bueno, entonces seremos solo buenos amigos y compañeros de equipo.

Es un cielo, Ollie.

—¡He comprado unas coca-colas para el equipo! —Papá aparece en la puerta del cuarto de juegos.

—¡Chris! —Mamá pone mala cara—. ¡Yo les he traído agua!

—Una coca cola no va a hacerles daño.

—Ay, Dios. Mira esto. —Mamá mira la habitación como si la viera por primera vez—. *Mira* esta habitación. Coca-cola, dónuts, ordenadores... —Es como el triunvirato de todo lo que teme y desprecia. Me da bastante pena—. ¿Somos malos padres? —Se vuelve hacia papá—. En serio. ¿Somos malos padres?

—Puede ser. —Él se encoge de hombros—. Seguramente. ¿Y qué?

—¿Lo somos, Audrey? —Se vuelve para mirarme.

—Qué va —contesto con cara de palo.

—No somos tan malos como estos. —Papá tiene un súbito golpe de inspiración y le pasa un ejemplar del *Daily Mail* que debe de haber comprado al salir—. Lee esto.

Mamá agarra el periódico y lee ansiosamente el titular.

—«Tenemos que llevar ropa idéntica todos los días» —lee—. «Una madre obliga a sus seis hijos a ir siempre conjuntados.» Ay, Dios mío. —Levanta la mirada, muy animada—. ¡Nosotros no somos *tan* malos! Escucha: «Los niños sufren burlas en el colegio, pero Christy Gorringe, de treinta y dos años, no se arrepiente. "Me gusta que mis hijos vayan conjuntados", afirma. "Compro la tela al por mayor"». —Sacude la cabeza, incrédula—. ¿Vosotros los habéis visto?

Nos pasa el periódico para que veamos a una fila de seis desgraciados niños, todos vestidos con camisas de lunares idénticas.

—¡Esto me ha alegrado el día! Digo... Pobres criaturas —dice mamá, corrigiéndose a toda prisa.

Papá asiente con la cabeza.

—Sí, pobrecillos.

—Pero por lo menos nosotros no hacemos esta barbaridad. —Da un manotazo al periódico—. Por lo menos yo no obligo a mis hijos a ir conjuntados con una ropa horrorosa. Podríamos estar peor.

No sé qué sería de mamá sin el *Daily Mail*.

INT. ROSEWOOD CLOSE Nº 5. DÍA

La cámara (sostenida por papá) muestra el cuarto de juegos lleno de latas de coca-cola vacías y botellas de agua.

Se ve de espaldas a Frank, OLLIE, Linus y Audrey en-
frascados jugando al LOC. Mamá mira de una pantalla
a otra asomándose por encima de sus hombros e intentando seguir el juego, sin éxito.

FRANK
A por él. Ay, Dios...

Cliquea como un loco y su pantalla estalla en un montón de gráficos.

MAMÁ
(poniéndose alerta)
¿Qué ha sido eso? ¿Cuál eres tú?

LINUS
Inicia. Inicia.

AUDREY
Quedaos en los árboles. ¡Nooo! Ollie,
eres un manta.

Ollie cliquea frenéticamente, con la cara colorada.

OLLIE
Perdón.

Mamá vuelve la cabeza a toda velocidad, mirando las pantallas.

MAMÁ

¿Estáis muertos? ¿Qué pasa cuando morís? ¿Podéis seguir jugando?

FRANK

¡Fríe a ese cabrón! ¡Muere! ¡Muere!

MAMÁ
(escandalizada)

¡Frank!

Por el altavoz del enlace de Skype se oye una sarta de palabrotas en ruso.

FRANK

Na kaleni, cyka.

MAMÁ

¿Qué significa eso? ¿Es del juego?

LINUS

Es ruso. Más vale que no sepas qué significa.

MAMÁ

Entonces, ¿ese tío es ruso? ¿O ese eres tú, Frank?

Señala la pantalla.

MAMÁ
Porque a mí todos me parecen iguales.
¿A ti no, Chris?

La cámara (sostenida por papá) enfoca la pantalla.

PAPÁ (VOZ EN OFF)
Claro que no. ¡Muere! ¡Muere!

No ganamos. No es que no ganáramos, es que nos dieron una paliza.

Creo que mamá se quedó verdaderamente alucinada. Me parece que se había hecho a la idea de que íbamos a llegar a las finales de Toronto y a llevarnos los seis millones de dólares, y que así podría presumir delante de los otros padres.

—Entonces, ¿cómo es que os han ganado? —preguntó, asombrada, cuando por fin comprendió que habíamos perdido.

—Han jugado mejor —contestó Frank, abatido—. Eran muy buenos.

—Bueno, tú también lo eres —replica mamá enseguida—. Mataste a un montón de gente. Tienes una técnica buenísima, Frank. ¿Verdad que sí, Chris? Muy buena técnica.

Mamá es un encanto. Ahora se comporta como si el LOC fuera lo único que le importa en esta vida.

—¿Alguien quiere el último dónut? —pregunta, y todos decimos que no con la cabeza.

Hay un ambiente bastante triste, con los ordenadores en silencio, las latas de coca-cola y ese aire de derrota, y creo que mamá se da cuenta.

—¡Bueno, es igual! —exclama alegremente—. Vamos a salir a comer en equipo para celebrar que hemos participado. ¿Os apetece ir al Pizza Express?

—Guay. —Frank se quita los auriculares y apaga su portátil—. Y luego puede que me pase por el Fox and Hounds —añade tranquilamente—. Ade me dijo que los fines de semana podía ayudar en la cocina o en lo que hiciera falta. Tengo que hablar con el jefe de cocina. Voy a llamar a Ade para concretar.

—Ah. —Mamá parece un poco estupefacta—. Pues... Vale, Frank. ¡Buena idea! —Cuando él sale de la habitación, mira a papá boquiabierta—. ¿He oído bien? ¿Frank *se ha buscado un trabajo?*

Pero papá no la oye. Se ha puesto unos auriculares y se ha conectado a otra partida de LOC con Ollie.

—¿Sabes jugar, papá? —pregunto sorprendida.

—Bueno, me he fijado en cómo se juega —admite mientras cliquea con furia—. He ido pillando cosas aquí y allá.

—Pero ¿con quién estáis jugando?

—Con un par de amigos del colegio —responde Ollie, igual de enfrascado—. Están conectados, así que... ¡A por él!

—Ya voy —contesta papá casi sin respiración—. Ay, mierda. Perdón.

Mamá le mira atónita.

—¿Qué estás haciendo, Chris? —Le clava un dedo en el hombro—. ¡Chris! ¡Te estoy hablando! ¿Es que no has oído ni una palabra de lo que le decía a Frank?

—Sí. —Papá se quita los auriculares un momento—. Sí. Lo he oído. Castigado.

No puedo evitar que se me escape la risa, y hasta mamá esboza una sonrisilla.

—Sigue jugando, niño grande —le dice—. Pero dentro de media hora nos vamos, ¿vale? *Media hora.* Y me da igual si tienes que interrumpir la partida.

—Vale —asiente papá, igual que si fuera Frank—. Genial. Sí. Lo estoy deseando. —Cliquea como un loco y lanza un puñetazo al aire cuando la pantalla estalla en colores—. ¡Muere, cabrón! ¡Muere!

MI SERENA Y ENCANTADORA FAMILIA – TRANSCRIP-
CIÓN DEL DOCUMENTAL

INT. ROSEWOOD CLOSE Nº 5. DÍA

La cámara se tambalea mientras alguien la coloca sobre una superficie elevada. Al alejarse la persona en
cuestión vemos que es AUDREY, en su cuarto. Duda un
momento, luego mira a cámara.

> AUDREY
> Bueno, esta soy yo. Audrey. Todavía
> no me habíais visto. Seguramente no
> soy como esperabais. A lo mejor tengo
> el pelo más oscuro, o más claro o... Da
> igual. El caso es... Hola. Encantada de
> conoceros.

Acerca una silla y mira a cámara unos segundos, como
si ordenara sus pensamientos.

> AUDREY
> He estado dándole muchas vueltas a
> todo esto y creo que mamá tenía razón
> en lo de los altibajos de las gráficas.
> Todos los tenemos. Hasta Frank. Hasta
> mamá. Incluso Félix. Creo que lo que
> he descubierto es que la vida consiste
> en escalar una pendiente, y en resba-
> lar por una cuesta, y en volver a levan-
> tarse y seguir adelante. Y que da igual
> que resbales un poco hacia abajo, siem-
> pre y cuando te dirijas más o menos
> hacia arriba. Es lo único que puedes
> esperar. Ir más o menos hacia arriba.

Se hace otro silencio. Luego levanta la vista con una
sonrisa luminosa.

> **AUDREY**
> Bueno, el caso es que... No puedo que-
> darme. Tengo una cita importante
> con...

Estira un brazo hacia abajo y enseña un estuche grande y cromado.

> **AUDREY**
> ¡Con esto! Me lo ha comprado mamá.
> Es maquillaje para ojos. Fijaos.

Abre el estuche y empieza a desplegarlo con orgullo.

> **AUDREY**
> Esto es rímel y esto es... corrector o
> no sé qué...

Hace una mueca mientras inspecciona el tubito.

> **AUDREY**
> No tengo *ni idea* de cómo se usa. Pero
> mamá va a enseñarme. Bueno, sí, solo
> vamos a ir a comer al Pizza Express,
> pero Linus también viene, así que es
> como una cita, ¿no?

Otra pausa.

> **AUDREY**
> Creo que mamá está muy contenta de
> que haya recuperado mis ojos. Me dijo

que fue lo primero que miró cuando
nací. Mis ojos. Que eran yo. Lo que yo
soy.

Juguetea con la tapa del estuche unos segundos. Luego
lo cierra y se dirige a cámara.

> AUDREY
> En fin... Ha sido divertido hacer esta
> película. Bueno, no siempre, pero sí
> casi siempre. Ya sabéis. Así que... Gra-
> cias por verla, seas quien seas.

Una pausa. Luego pone una sonrisa luminosa y deslum-
brante.

> AUDREY
> Así que supongo que ya está. Ahora,
> voy a apagar.

Cuando se acerca para apagar la cámara, sus ojos azules se van haciendo cada vez más grandes, hasta lle-
nar la pantalla. Parpadea un par de veces y luego hace
un guiño a cámara.

> AUDREY
> Hasta la vista.

PUCK

AVALON

Libros de *fantasy* y *paranormal* para jóvenes con los que descubrir nuevos mundos y universos.

LATIDOS

Los libros de esta colección desprenden amor y romance. Ideales para los lectores más románticos.

LILIPUT

La colección para niños y niñas de 9 a 14 años, con historias llenas de aventuras para disfrutar de verdad de la lectura.

SERENDIPIA

Una serendipia es un hallazgo inesperado y esto es lo que son los libros de esta colección: pequeños tesoros en forma de historias contemporáneas para jóvenes.

SINGULAR

Libros *crossover* que cuentan historias que no entienden de edades y que puede disfrutar tanto un niño como un adulto.

¿Cuál es tu colección?

Encuentra tu libro Puck en:
www.mundopuck.com

🐦 puck_ed

🅕 mundopuck